"Medo é a ferramenta de um Diabo idealizado pelo homem. A fé inabalável em si mesmo é tanto a arma que derrota este Diabo quanto a ferramenta que o homem utiliza para construir uma vida de sucesso. E é mais do que isso. É uma conexão direta com as forças irresistíveis do universo que apoiam o homem que não acredita em fracassos e derrotas, senão como experiências meramente temporárias."

Napoleon Hill

आरोग्य क्षमता विज्ञान योग

Título original: *Outwitting the Devil*

Mais esperto que o Diabo
1ª edição em português: 2014
29ª edição: Maio 2025

Autor:
Napoleon Hill

Tradução:
M. Conte. Jr. FRC, M.·.M

Revisão:
3GB Consulting

Capa:
Pâmela Siqueira

Projeto gráfico:
Dharana Rivas

DADOS INTERNACIONAIS DE CATALOGAÇÃO NA PUBLICAÇÃO (CIP)

H647m Hill, Napoleon.

Mais esperto que o Diabo. / Napoleon Hill. – Porto Alegre: CDG, 2022.

ISBN: 978-85-68014-00-4

1. Desenvolvimento pessoal. 2. Motivação. 3. Sucesso pessoal. 4. Autoajuda. I. Título.

CDD - 131.3

Produção editorial e distribuição:

contato@citadel.com.br
www.citadel.com.br

*Autor com mais de 120 milhões de cópias vendidas segundo a Fundação Napoleon Hill.

NAPOLEON HILL

+ ESPERTO QUE O DIABO

O mistério revelado da liberdade e do sucesso

29ª EDIÇÃO

TRADUÇÃO E EPÍLOGO

M. Conte Jr. FRC, M∴M

2025

SUMÁRIO

INTRODUÇÃO

POR THIAGO NIGRO

Já parou para pensar por que sabemos o que deve ser feito, mas ainda assim insistimos em não fazer? Trabalho profissionalmente com investimentos há muitos anos, e as dúvidas são sempre as mesmas. O que as pessoas não percebem é que as soluções também são.

Você gostaria de ter um corpo melhor? Pois bem: 99% da população também. Você sabe o que é preciso para ter um corpo melhor? Aposto que sim. Basicamente, comer bem e cuidar de seu corpo. Assim como você, todos sabemos o que é preciso, mas preferimos não fazer. Aliás, não é uma questão de "preferência", é um jogo de dominação. Ou você domina sua mente, ou ela (ou algo) te domina.

Quando eu era menor, sofri *bullying*, fui taxado como um dos piores garotos do colégio e ainda fui negado em todas as entrevistas de emprego que fiz no mercado financeiro. Comecei a carreira como garçom – e para muitos, eu deveria continuar fazendo isso o resto da vida.

Mas não me contentei. Fiz o impossível. Comecei a trabalhar no mercado financeiro e sete anos depois atingi minha liberdade financeira. Isso significa que meu dinheiro investido era suficiente para me sustentar até eu morrer, caso mantivesse meu padrão de vida. Hoje ajudo o Brasil a gerenciar melhor suas finanças.

O que descobri – mas não sabia antes disso – é que apenas 1% da população consegue se aposentar com a mesma qualidade de vida que teve em algum momento dela. Porém, descobri que a falta de dinheiro não é o problema, é a consequência dele. Mas qual é o problema? Eu não sabia.

Por isso, decidi pesquisar por que isso acontece, e como eu poderia ajudar nessa transformação. Foi aí que resolvi investir R$ 1 milhão do meu bolso para viajar o mundo e conversar com algumas das pessoas mais bem-sucedidas do mundo. Queria descobrir qual era "O Código da Riqueza". Conversei com CEOs, medalhistas olímpicos, bilionários, artistas, empresários e professores de Harvard e Stanford.

Durante minha jornada, descobri que alguém já tinha feito algo muito parecido e dedicado a vida a estudar sobre riqueza no seu tempo. Ele tinha, inclusive, entrevistado o Diabo para saber como ele fazia para entrar em nossa mente e dominá-la, alegando ter decodificado o código da sua mente, descobrindo em detalhes todas as principais estratégias para trazer miséria, limitação e vícios ao mundo.

Essa pessoa era chamada de Napoleon Hill. Mesmo não o tendo conhecido pessoalmente, sinto uma profunda admiração por seu legado deixado ao mundo.

Fiquei fascinado por seus escritos, suas pesquisas e suas conclusões. Depois de ter entrado na mente de Hill, sinto que você está prestes a ler a obra mais cativante, inquietante, inteligente e mística que ele já fez. Sou exemplo vivo de que todos os ensinamentos dele geram resultados: o garoto que era tímido, morria de medo de falar em público e socializar hoje fala com mais de 10 milhões de pessoas todos os meses.

Mas não vou parar por aí. Napoleon Hill dizia que o aprendizado nunca estaciona. Uma pessoa, por maior que ela seja, pode ir muito longe, mas ela tem um limite determinado a todos os seres humanos: a morte. Dali para a frente, alguém precisa avançar e desenvolver aquele aprendizado, aquele legado. Esse nunca morre. Isaac Newton disse que, se ele enxergou mais longe, é porque estava de pé sobre os ombros de gigantes. Por isso, quero continuar ajudando milhares de pessoas a enriquecer e alcançar a sua liberdade financeira. A minha motivação é seguir o fascinante trabalho de Napoleon Hill e decodificar de vez quais são os hábitos, princípios e pensamentos daqueles que REALIZAM e chegam ao mundo da abundância, onde nenhuma limitação existe a não ser aquela que impomos a nós mesmos, nem que para isso eu pessoalmente tenha que entrevistar o Diabo também e descobrir o que ele anda aprontando nos dias de hoje.

Desejo-lhe uma leitura fantástica. Este livro vai mudar a sua vida, assim como mudou a minha. Essa é sua oportunidade de subir nos ombros de gigantes, exatamente como eu fiz. E já adianto que a próxima vez que o Diabo decidir contar seus segredos e estratégias mentais, primos, vocês serão avisados em primeira mão. Preparem-se, quem viver verá! Boa leitura.

— Thiago Nigro

Criador do *O Primo Rico*

@thiago.nigro

+ ESPERTO QUE O DIABO

PELO HOMEM QUE QUEBROU
O CÓDIGO DO DIABO E O FORÇOU A CONFESSAR.

O mais corajoso e inspirador de todos os livros de autoconhecimento, escrito pelo filósofo do sucesso número um da América, que, após trinta anos de pesquisas, achou o Diabo e arrancou dele uma confissão fantástica, revelando onde ele mora, por que ele existe, como ele ganha o controle da mente das pessoas e o principal: como qualquer um pode vencê-lo. Este livro é um curso generoso em psicologia, deixando claros os princípios de como funciona a mente humana. Quando você terminar esta história do Diabo, você saberá muito mais sobre Deus.

POR NAPOLEON HILL

Autor de Think and Grow Rich,
O manuscrito original – As leis do triunfo e do sucesso de Napoleon Hill
e Atitude mental positiva

CAPÍTULO UM

MEU PRIMEIRO ENCONTRO COM ANDREW CARNEGIE

Por mais de um quarto de século, meu principal objetivo foi o de separar e organizar, em uma filosofia de realizações, as principais causas tanto do fracasso como do sucesso, com o objetivo de ser útil a todos os outros que não têm nem a inclinação nem a oportunidade de se engajar nesse tipo de pesquisa.

Meu trabalho começou em 1908, como resultado de uma entrevista que fiz com Andrew Carnegie. Eu, francamente, contei ao senhor Carnegie que eu tinha concebido a ideia de entrar para a faculdade de Direito e que havia pensado em pagá-la entrevistando homens e mulheres bem-sucedidos, descobrindo como eles conseguiam sucesso e descrevendo as minhas descobertas para revistas. No final de minha visita, o senhor Carnegie me perguntou se eu tinha ou não coragem para realizar algo que ele estava para me oferecer. Respondi que coragem era tudo o que eu tinha e que estava preparado para dar o meu melhor, independentemente da proposta que ele tinha a me oferecer.

Ele então disse:

"A sua ideia de escrever histórias sobre homens e mulheres bem-sucedidos é memorável enquanto ideia, e eu não tenho nenhuma intenção de tentar desencorajá-lo de cumprir o seu objetivo. Mas eu preciso lhe dizer que, se você realmente quer fazer um serviço que seja útil, não somente para as pessoas de hoje, mas também que dure para toda a posteridade, ocupe o seu tempo organizando, baseado nessas histórias, as causas do fracasso e do sucesso dessas pessoas. Há milhões de pessoas no mundo que não têm a menor concepção das causas do sucesso e do fracasso. As escolas e faculdades ensinam praticamente tudo, exceto os princípios de realização pessoal. Eles exigem que jovens, homens e mulheres, passem de quatro a oito anos adquirindo conhecimentos abstratos, mas não os ensinam o que fazer com esse conhecimento depois de tê-lo.

"O mundo está precisando de uma filosofia de realização prática e inteligível, organizada a partir de conhecimento resultante da experiência de homens e mulheres da grande universidade da vida. Em todo o campo da filosofia, eu não encontro nada que se assemelhe ao tipo de filosofia que tenho em mente. Nós temos muito poucos filósofos que são capazes de ensinar a homens e mulheres a arte de viver. Parece, para mim, que há uma oportunidade que deveria desafiar um jovem ambicioso do seu tipo, mas ambição pura não basta para essa tarefa que eu sugeri. Aquele que ousar seguir minha sugestão deverá ter coragem e tenacidade.

"O trabalho demandará pelo menos vinte anos de esforço contínuo, durante o qual aquele que topar terá que ganhar a vida com outra fonte de renda, porque esse tipo de pesquisa nunca é lucrativo no seu início, e geralmente os poucos que se aventuraram a contribuir para a civilização por meio de trabalhos dessa natureza tiveram que esperar cem anos ou mais após seus próprios funerais para receber reconhecimento pelo seu feito. Se você prosseguir com esse trabalho, deve entrevistar não somente os poucos que foram extraordinariamente bem-sucedidos, mas também os muitos que fracassaram. Você deve cuidadosamente analisar milhares de pessoas que foram classificadas de 'fracassadas' – e eu quero dizer com o termo 'fracassado' homens e mulheres que chegam aos estágios finais de suas vidas desapontados porque não conseguiram alcançar as metas que haviam se proposto de coração. Tão inconsistente como parece ser, você aprenderá muito mais como ser bem-sucedido a partir dos fracassos do que com o tão chamado 'sucesso'. Eles lhe ensinarão o que não fazer.

"Na parte final da sua pesquisa, se você conseguir com sucesso manter o foco, fará uma descoberta que poderá ser uma grande surpresa. Descobrirá que a causa para o sucesso não é algo separado e longe do homem, mas que é uma força tão intangível na natureza, que a maioria dos homens nunca a reconhece; uma força que pode muito bem ser chamada de 'Outro Eu'. O mais interessante é o fato de que este 'outro eu' raramente exerce sua influência ou se faz conhecer, exceto em momentos de emergência, quando os homens são forçados, por meio das adversidades e das derrotas temporárias, a mudar seus hábitos e pensar estratégias para sair das dificuldades. Minha experiência me ensinou que um homem nunca está tão perto do sucesso como quando o que ele chama de 'fracasso' toma conta de sua vida, porque nessas ocasiões ele é forçado a pensar. Se ele pensar com exatidão e com persistência, vai descobrir que aquilo que ele chama de fracasso, na verdade, nada mais é que um sinal para elaborar um novo plano ou objetivo. **A maior parte dos fracassos reais se deve a limitações que os homens impõem a si mesmos em suas próprias mentes.** Se eles tivessem a coragem de ir mais um passo à frente, eles descobririam os seus próprios erros."

Começando uma vida nova

O discurso do senhor Carnegie reformulou a minha vida por completo e plantou em minha mente um desejo ardente, que me orientou sem cessar. Isso aconteceu mesmo eu não tendo a mais vaga ideia do que significava o termo o "Outro Eu".

Durante o meu trabalho de pesquisa nas causas de fracasso e sucesso, tive o privilégio de analisar mais de 25 mil homens e mulheres que eram rotulados de "derrotados", e mais de 500 que eram classificados de "bem-sucedidos". Muitos anos atrás, tive meu primeiro contato com aquele "Outro Eu" que o senhor Carnegie havia mencionado. A descoberta veio como ele disse que viria: como resultado de dois pontos cruciais da minha vida, mas que foram, na verdade, emergências e que me forçaram a pensar um jeito de vencer as minhas dificuldades de tal maneira que eu nunca havia experimentado.

Gostaria que fosse possível descrever essa descoberta sem o uso do pronome pessoal "eu", mas isso é impossível, visto que ela ocorreu por meio de experiências pessoais que não podem ser separadas. Para dar uma visão completa da descoberta, terei que voltar ao primeiro desses dois pontos marcantes da minha vida e mostrar, passo a passo, essa descoberta.

Para realizar a pesquisa, com a compilação de dados, foram necessários anos de trabalho. Eu tinha chegado à falsa conclusão de que minha tarefa de organizar uma filosofia completa de sucesso pessoal havia terminado. Longe de estar completo, meu trabalho havia apenas começado. Eu havia erigido o esqueleto de uma filosofia, organizando os dezessete princípios do sucesso e as trinta maiores causas do fracasso, mas aquele esqueleto tinha que ser coberto com a carne da realização e da experiência. Além disso, tinha que ser dada ao trabalho uma alma que inspirasse homens e mulheres a não somente transporem obstáculos, mas também a não se deixarem abater por eles.

A "alma", que ainda teria que ser adicionada, como eu descobri depois, somente se tornaria disponível após aparecer o meu "outro eu", por meio dos dois pontos cruciais da minha vida. Resolvendo focar a minha atenção e quaisquer talentos que eu porventura tivesse em retornos monetários por meio de canais de negócios, decidi dedicar-me à profissão de publicitário. Tornei-me, então, o gerente de publicidade do curso de extensão La Salle da Universidade de Chicago. Tudo correu maravilhosamente bem durante um ano. Entretanto, no final desse ano, fui tomado por um violento desgosto pelo meu trabalho e, então, me demiti.

Posteriormente, ingressei no ramo de cadeias de lojas, juntamente com o ex-presidente da Universidade de Extensão La Salle. Logo me tornei presidente da Cia. de Doces Betsy Ross. Porém, desacordos com os sócios desse negócio fizeram com que eu saísse do empreendimento. A atração pela propaganda ainda estava em meu sangue, e tentei novamente dar expressão a ela. Organizei uma escola de propaganda e vendas, como uma parte da Escola de Negócios Bryant & Stratton.

O empreendimento navegava em águas tranquilas e muito dinheiro entrava rapidamente. Foi então que os Estados Unidos tomaram parte na Primeira Guerra Mundial. Em resposta a um chamado interior, que palavras não conseguem descrever, saí da Escola e entrei para o serviço do governo dos Estados Unidos, sob a direção pessoal do presidente Woodrow Wilson, deixando um negócio fantástico desintegrar-se.

No dia do armistício, em 1918, comecei a atuar na publicação da revista *Golden Rule* (Regra de Ouro, na tradução livre). Apesar do fato de eu não ter nenhum centavo de capital, a revista cresceu rapidamente e em pouco tempo ganhou circulação nacional, chegando a quase meio milhão de exemplares, finalizando seu primeiro ano de negócios com um lucro de 3.156 dólares. Alguns anos depois, aprendi com um experiente executivo de uma empresa de publicações que nenhum homem capaz naquele ramo pensaria em começar uma revista tal como essa com menos do que 500 mil dólares de capital.

A revista *Golden Rule* e eu estávamos destinados a nos separar. Quanto mais sucesso alcançávamos, mais descontente eu me tornava. Até que, finalmente, devido a um acúmulo de perturbações causadas por sócios no negócio, dei a revista como um presente a eles e deixei o negócio. Com essa atitude, provavelmente joguei fora uma pequena fortuna.

Logo após, organizei uma escola de treinamento para vendedores. Minha primeira missão era treinar um exército de vendas de três mil pessoas para uma rede de lojas. Receberia 10 dólares para cada vendedor que frequentasse a minha aula. Dentro de seis meses, esse trabalho havia me rendido um pouco mais de 30 mil dólares. O sucesso, em termos financeiros, estava coroando meus esforços com abundância. Novamente meu espírito estava descontente. Eu não estava feliz. Tornava-se, a cada dia, mais óbvio que nenhuma quantidade de dinheiro, em algum momento, me faria feliz.

Sem a menor desculpa razoável por minhas ações, saí do negócio e desisti de um empreendimento no qual teria facilmente recebido um salário satisfatório. Meus amigos e sócios no negócio pensaram que eu estava louco, e eles não estavam tão errados nos seus pensamentos. No fundo, eu estava inclinado a concordar com eles, mas parecia que não havia nada que eu pudesse fazer para mudar de ideia. Procurava pela felicidade e ainda não a tinha encontrado. Pelo menos, essa é a única explicação que eu poderia oferecer para justificar as minhas atitudes um tanto quanto inusitadas. Qual o homem que realmente conhece a si mesmo?

Isso aconteceu no final do outono de 1923. Eu me sentia solitário em Columbus, Ohio, sem recursos e, pior ainda, sem nenhum plano para me tirar daquela situação difícil. Na verdade, era a primeira vez na vida que eu estava acuado devido à falta de recursos. Em muitas ocasiões, já havia passado por momentos de aperto, mas nunca antes havia faltado dinheiro a tal ponto de eu não conseguir suprir as minhas necessidades pessoais. A experiência me assombrou: eu parecia estar totalmente à margem do que poderia ou deveria fazer.

Pensei em uma dúzia de jeitos de conseguir resolver os meus problemas, mas descartei-os todos: eram impraticáveis e impossíveis de realizar. Me senti como alguém que estava perdido em uma selva, sem uma bússola sequer. Toda tentativa que eu fazia para me tirar da dificuldade acabava me trazendo de volta para o ponto de partida.

Por quase dois meses, sofri com a pior das doenças humanas: a indecisão. Eu conhecia os dezessete princípios da realização pessoal, mas não sabia como aplicá-los. Sem saber, estava encarando uma daquelas emergências da vida de que o senhor Carnegie havia me falado, situações essas em que os homens muitas vezes descobrem os seus "Outros Eus". Meu estresse era tão grande que em nenhum momento me ocorreu sentar, analisar a sua causa e procurar a sua cura.

Derrota é convertida em vitória

Uma tarde, tomei uma decisão que me ajudou a sair daquela situação. Eu tinha um sentimento de que o que eu realmente desejava era sair para os "espaços abertos do país", onde poderia respirar ar fresco e, principalmente, pensar.

Comecei a caminhar e já havia percorrido mais ou menos sete ou oito milhas quando, de repente, me vi parado. Por muitos minutos, fiquei ali como se estivesse com os pés colados. Tudo na minha volta tornou-se escuro. Eu podia ouvir o som estridente de alguma forma de energia que estava vibrando em uma frequência muito alta.

Então meus nervos se aquietaram, meus músculos relaxaram e uma grande calma tomou conta de mim. A atmosfera começou a clarear e, enquanto isso ocorria, recebi um comando de meu interior, que veio na forma de um pensamento, tão perto quanto eu posso descrevê-lo.

O comando era tão claro e distinto que não havia meios de eu não entendê-lo. Na essência, ele disse: "Chegou o momento de você completar a filosofia de sucesso que você começou, seguindo a sugestão de Carnegie. Volte para casa de uma vez por todas e comece a transferir os dados que você juntou da sua própria mente, transformando-os em manuscritos". O meu "Outro Eu" havia acordado.

Por alguns minutos, permaneci aterrorizado. Essa experiência não era parecida com nada que eu houvesse experimentado antes. Eu virei e caminhei rapidamente até chegar em casa. Quando me aproximei de casa, vi meus três filhos olhando pela janela para as crianças do vizinho, que estavam decorando uma árvore de Natal. Então, me lembrei que era véspera de Natal. Para completar, me dei conta, com um sentimento de pura tristeza, tal qual eu jamais havia experimentado, de que não haveria árvore de Natal na nossa casa. O olhar de desapontamento no rosto das minhas crianças me fez lembrar desse fato com muita dor.

Entrei em casa, sentei em frente à minha máquina de escrever e comecei de uma vez por todas a transcrever todas as descobertas que eu havia feito relacionadas às causas de sucesso e fracasso. No instante em que coloquei a primeira folha de papel na máquina, fui interrompido pelo mesmo sentimento estranho que havia me ocorrido algumas horas antes. E este pensamento passou de forma muito clara na minha mente.

"Sua missão nesta vida é completar a primeira filosofia de sucesso e realização pessoal. Você tem tentado em vão escapar da sua tarefa, cada esforço trazendo fracasso para você. Você está procurando pela felicidade. Aprenda esta lição, de uma vez por todas: você somente achará a alegria ajudando outros a encontrá-la. Você tem sido um estudante teimoso. Você tinha que ser curado da sua teimosia por meio de desapontamentos sucessivos. Dentro de poucos anos, o mundo todo começará uma experiência na qual milhões de pessoas que necessitam desta filosofia terão acesso a ela, justamente devido a esse direcionamento que você recebeu para completá-la. A sua grande oportunidade de achar a felicidade prestando um serviço útil terá chegado. Vá trabalhar e não pare até que você tenha completado e publicado os manuscritos que você começou."

Eu estava consciente de ter chegado ao final do arco-íris da vida e estava feliz!

A dúvida aparece

O "feitiço", se é que essa experiência pode ser assim chamada, passou. Comecei a escrever e, pouco depois, fui sugestionado pela minha "razão" e pensei que talvez eu estivesse entrando numa missão estúpida. A ideia de que um homem que estava em plena depressão e praticamente falido pudesse escrever uma filosofia de sucesso pessoal me parecia tão fantasiosa que ri vigorosamente e acabei dando gargalhadas.

Me arrumei na cadeira, passei os dedos pelo meu cabelo e tentei criar um álibi que justificaria à minha própria mente que eu deveria tirar o papel da máquina de escrever antes de começar. Mas a vontade de continuar era muito mais forte do que o desejo de desistir, e acabei me reconciliando com a minha tarefa e segui em frente.

Olhando para os eventos passados, agora sob a ótica de tudo o que aconteceu, posso ver que essas pequenas experiências de adversidade pelas quais passei foram entre as mais enriquecedoras e lucrativas de todas as minhas vivências. Elas na verdade foram bênçãos, porque me forçaram a continuar um trabalho que finalmente me trouxe uma oportunidade para me fazer mais útil ao mundo do que eu jamais teria sido caso tivesse sido bem-sucedido em quaisquer dos planos ou objetivos anteriores.

Por quase três meses, trabalhei nesses manuscritos, finalizando-os durante o começo de 1924. Assim que os completei, me senti novamente compelido a voltar ao grande jogo dos negócios americanos.

Sucumbindo ao meu desejo, comprei a Faculdade de Negócios Metropolitana em Cleveland, Ohio, e comecei a organizar os planos para aumentar a sua capacidade. No final de 1924, tínhamos nos desenvolvido e expandido, adicionando novos cursos. Havíamos dobrado os números, considerando o melhor momento que a escola já tinha vivido.

Novamente, o germe do descontentamento começou a se fazer sentir em meu sangue. Mais uma vez, eu sabia que não poderia achar a felicidade nesse tipo de empreendimento. Repassei o negócio aos meus sócios e fui para a plataforma de palestras, falando sobre a filosofia de realização e sucesso pessoal para a organização pela qual eu havia devotado tantos dos meus anos anteriores.

Uma noite, estava marcado para eu palestrar em Canton, Ohio. O destino, ou o que quer que algumas vezes pareça moldar o futuro dos homens, não importasse o quanto eu tentasse lutar contra ele, novamente me colocou cara a cara com uma nova c muito dolorosa experiência.

No meu auditório em Canton estava sentado Don R. Mellett, responsável pela publicação do *Canton Daily News.* O Sr. Mellett ficou tão interessado na filosofia de realização e sucesso pessoal da minha palestra naquela noite que me convidou para visitá-lo no dia seguinte.

Essa visita resultou em um acordo de parceria que era para ter acontecido no dia 1º de janeiro seguinte, quando o senhor Mellett planejava renunciar ao cargo de chefe da publicação do *Daily News* para se encarregar do negócio e da publicação da filosofia na qual eu estava trabalhando. Contudo, em julho de 1926, o Sr. Mellet foi morto por Pat McDermott, uma figura carimbada do submundo, e um policial de Canton, sendo ambos posteriormente sentenciados à prisão perpétua. Ele foi morto porque estava expondo em seu jornal uma ligação entre os bandidos e alguns membros da polícia de Canton. O crime foi um dos mais chocantes que a Era da Proibição já produziu.

O ACASO (?) SALVA MINHA VIDA

Na manhã seguinte à morte do senhor Mellet, fui chamado no telefone por uma pessoa desconhecida que me alertou de que eu teria uma hora para sair de Canton e de que eu poderia ir voluntariamente dentro de uma hora, mas se eu esperasse mais tempo provavelmente iria dentro de um caixão. Minha associação com o senhor Mellett havia aparentemente sido mal interpretada. Seus assassinos decerto acreditavam que eu estava conectado de forma direta à exposição que ele vinha fazendo em seus jornais.

Não esperei acabar o meu limite de uma hora, mas imediatamente entrei no meu carro e dirigi para a casa de parentes nas montanhas a oeste de Virgínia, onde fiquei até que os assassinos tivessem sido colocados na prisão. Essa experiência veio bem dentro da categoria descrita pelo senhor Carnegie como "uma emergência" que força homens a pensarem. Pela primeira vez na vida, conheci a dor do medo constante. A minha experiência de alguns anos anteriores, em Columbus, havia preenchido a minha mente com dúvida e indecisão temporária, mas essa preencheu a minha mente com um medo que parecia impossível de remover. Durante o tempo em que eu estava escondido, raramente deixava a casa à noite e, quando saía, mantinha minha mão em uma pistola automática levada no bolso do casaco, mantida destravada para ação imediata. Se um automóvel estranho parasse em frente à casa onde eu estava escondido, eu ia imediatamente para o porão e, com cuidado, escrutinava os seus ocupantes através das janelas.

Depois de alguns meses convivendo com esse tipo de experiência, meus nervos começaram a sentir. A coragem sumiu por completo, assim como a ambição que eu tinha em meu coração durante os longos anos de trabalho em busca das causas do fracasso e do sucesso também partiu.

Vagarosamente, passo a passo, me senti caindo num estado de total letargia da qual eu temia que jamais conseguisse emergir. O sentimento deve ter sido o mesmo que aqueles que pisam na areia movediça sentem, quando se dão conta de que cada esforço que fazem para tirá-los da areia apenas leva mais para o fundo. O medo é uma areia movediça que se retroalimenta.

Se a semente da insanidade estivesse presente na minha constituição física, certamente ela teria germinado durante esses meses subsistindo como um morto-vivo. Indecisão completa, sonhos irresolutos, dúvidas e medo eram tudo o que a minha mente experimentava dia e noite.

A "emergência" que encarei fora desastrosa por dois motivos. Primeiro, a verdadeira natureza dessa emergência me manteve num estado de constante indecisão e medo. Segundo, esse enclausuramento forçado me deixou em estado de tensão constante. Eu tendia a me preocupar com o peso do tempo que passava.

A minha faculdade da razão tinha sido quase paralisada. Me dei conta de que precisava trabalhar a mente para sair desse estado mental. Mas como? Os recursos que tinham me ajudado a resolver todas as emergências anteriores da minha vida parece que criaram asas e me deixaram completamente à mercê da situação.

Além de todas as dificuldades que eu estava enfrentando até esse momento, outra situação que parecia mais dolorosa que todas as outras combinadas surgiu. Era a tomada de consciência de que eu havia gastado a maior parte dos meus últimos anos em busca do arco-íris, procurando aqui e lá pelas causas do sucesso, e me achando agora nesse exato momento mais fraco e incapacitado do que qualquer uma das 25 mil pessoas às quais eu havia julgado como sendo "fracassos".

Esse pensamento era quase enlouquecedor. Além disso, era também extremamente humilhante, porque eu estava palestrando por todo o país em escolas e faculdades e para organizações de comércio, tentando contar às outras pessoas como aplicar os dezessete princípios do sucesso, enquanto aqui estava eu, incapaz de aplicá-los para mim mesmo. Estava certo de que nunca mais poderia encarar o mundo com um sentimento de confiança.

Toda vez em que me olhava no espelho, notava uma expressão de desgosto próprio na minha face, e frequentemente disse coisas ao homem no espelho que não devem ser escritas. Eu havia começado a tomar o lugar na categoria dos charlatões que oferecem a outros um remédio para a cura que eles não conseguem aplicar com sucesso a si mesmos.

Os criminosos que assassinaram o senhor Mellett foram julgados e mandados para a prisão perpétua; por isso, seria perfeitamente seguro, considerando onde eles estavam, sair do meu esconderijo e novamente tocar o meu trabalho. Contudo, não conseguia sair, porque agora encarava circunstâncias mais aterrorizantes do que aquela que havia sido criada pelos assassinos.

A experiência destruíra qualquer tipo de iniciativa que eu havia tido. Eu sentia uma influência de tal modo depressiva que tudo parecia um pesadelo. Estava vivo e poderia me mover, mas não conseguia pensar em um único movimento por meio do qual eu pudesse continuar a procurar pela meta que eu tinha estipulado para mim mesmo, baseado na sugestão do senhor Carnegie. Estava rapidamente me tornando indiferente não apenas a mim mesmo, mas, pior ainda, começava a me tornar mal-humorado e irritado com aqueles que haviam me oferecido abrigo durante a minha "emergência".

Encarei a maior emergência da minha vida. A menos que tenha passado por uma experiência similar, você não consegue imaginar como me senti. Tais experiências não conseguem ser descritas. Para serem entendidas, devem ser sentidas.

O momento mais dramático da minha vida

A virada veio de repente, no outono de 1927, mais de um ano após o incidente de Canton. Deixei a casa em uma noite e caminhei para o prédio da escola pública que se situava no topo de uma montanha acima da cidade. Eu havia chegado a uma decisão de lutar contra tudo aquilo antes que a noite acabasse. Comecei a caminhar em volta do edifício, tentando forçar meu cérebro confuso a pensar com clareza. Devo ter dado centenas de voltas ao redor do prédio antes que qualquer coisa que se assemelhasse a um pensamento organizado pudesse cruzar a minha mente. Enquanto caminhava, repetia constantemente para mim mesmo: "Existe uma saída e vou achá-la antes de voltar pra casa". Devo ter repetido essa frase mil vezes. Além disso, estava decidido a fazer exatamente o que eu estava dizendo a mim mesmo. Estava totalmente desgostoso comigo mesmo, mas ensaiei uma esperança de salvação.

Então, como um raio que cai de um céu claro, uma ideia explodiu em minha mente com tal força que o impulso fez com que meu sangue subisse e descesse das minhas veias de forma abrupta: "Este é o seu período de teste. Você foi reduzido à pobreza e humilhado para que pudesse ser forçado a descobrir o seu outro eu".

Pela primeira vez em anos, recordei o que o senhor Carnegie dissera sobre esse "outro eu". Nesse momento, lembrei-me de que ele havia dito que eu descobriria esse outro eu no final do meu trabalho de pesquisa pelas causas de fracasso e sucesso, e ainda recordei que ele disse que a descoberta normalmente viria como resultado de uma emergência, quando homens são forçados a mudar os seus hábitos e pensar formas de sair da dificuldade.

Continuei caminhando ao redor da escola, só que agora eu estava flutuando. Inconscientemente, parecia saber que estava para ser liberado da prisão que havia feito a mim mesmo.

A partir desse momento, me dei conta de que essa grande emergência havia me trazido uma oportunidade não somente para descobrir o meu "outro eu", mas também para testar a eficácia da filosofia de sucesso que eu vinha ensinando a outros como sendo algo palpável e realizável. Brevemente, eu saberia se ela funcionaria ou não. Tomei a decisão de que, se ela não funcionasse, eu queimaria todos os manuscritos e nunca mais me sentiria culpado por tentar provar aos outros que eles eram "os mestres de seus destinos, os capitães de suas almas".

A lua cheia estava recém cobrindo o topo da montanha. Eu nunca a havia visto brilhar tão intensamente antes. Enquanto a estava contemplando, outro pensamento cruzou a minha mente: "Você tem mostrado às outras pessoas como dominar o medo e como sobrepujar as dificuldades que surgem nas emergências da vida. De agora em diante, você pode falar com autoridade, porque está a ponto de superar as suas próprias dificuldades com coragem e objetivo, resoluto e destemido".

Com esse pensamento veio uma mudança na química do meu ser que me elevou a um estado de euforia que eu nunca havia experimentado. Meu cérebro começou a clarear, e o estado de letargia no qual ele se encontrava começou a passar. A minha razão passou a trabalhar novamente.

Por um breve momento, estava feliz pelo privilégio de passar por longos meses de tormento, já que a experiência me ofereceu a oportunidade de testar a eficácia dos princípios de sucesso, os quais eu vinha pesquisando de forma inexorável.

Quando esse pensamento surgiu, parei, uni os meus pés, saudei (eu não sabia o que ou quem) e fiquei rigidamente em estado de meditação por muitos minutos. Isso parecia, de início, uma atitude boba, mas, enquanto eu estava lá de pé naquele estado, outro pensamento cruzou a minha mente em forma de uma "ordem", que era tão breve e instantânea quanto uma ordem dada por um comandante militar a um subordinado.

A ordem dizia: "Amanhã, entre no seu carro e dirija até a Filadélfia. Lá você receberá ajuda para publicar a sua filosofia do sucesso".

Não havia nenhuma forma de explicação e qualquer tipo de modificação da ordem. Tão logo a recebi, caminhei de volta para casa, fui para a cama e dormi profundamente com uma paz de espírito tal que não experimentava havia mais de um ano.

Quando acordei na manhã seguinte, me levantei da cama e imediatamente comecei a fazer as malas para a viagem à Filadélfia. Minha razão me dizia que eu estava embarcando numa missão sem sentido. Quem eu poderia conhecer na Filadélfia que pudesse me ajudar financeiramente a publicar oito volumes de livros a um custo de 25 mil dólares? Eu me questionei.

Instantaneamente, ouvi em minha mente a resposta para essa questão de forma tão clara como se as palavras tivessem sido ditadas em meu ouvido: "Você agora está seguindo ordens, em vez de ficar fazendo perguntas. O seu 'outro eu' estará no comando durante toda essa viagem".

Havia outra condição que parecia fazer a minha preparação para ir à Filadélfia algo que beirava o absurdo. Eu não tinha dinheiro. Esse pensamento mal me havia ocorrido quando meu "outro eu" explodiu dando uma ordem enfática: "Peça para o seu cunhado 50 dólares e ele emprestará para você".

A ordem parecia definitiva e final. Sem qualquer hesitação, segui as instruções. Quando pedi o dinheiro ao meu cunhado, ele disse: "Claro, certamente vou lhe emprestar os 50, mas, se você vai para tão longe, seria melhor levar 100 dólares". Agradeci a ele e disse que 50 dólares seriam o suficiente. Sabia que não bastava, mas essa era a quantia que meu "outro eu" havia me ordenado a pedir, e foi exatamente isso que fiz.

Eu estava bastante aliviado quando me dei conta de que meu cunhado não ia me perguntar por que eu estava indo para a Filadélfia. Se ele soubesse tudo que havia passado pela minha mente na noite anterior, talvez pensasse que eu deveria ir para um hospital psiquiátrico em vez de sair em busca do pote de ouro no final do arco-íris.

Meu "outro eu" assume o comando

Parti com a minha cabeça me dizendo que eu era um idiota e meu "outro eu" me ordenando a ignorar o desafio e seguir as instruções. Dirigi a noite inteira, chegando à Filadélfia na manhã seguinte.

Meu primeiro pensamento foi o de procurar uma pensão onde eu pudesse alugar um quarto de um dólar por dia.

Nesse momento, novamente o meu "outro eu" tomou conta e ordenou que eu me hospedasse no hotel mais luxuoso da cidade. Com um pouco mais de 40 dólares no bolso, que era o que restava do meu capital, parecia mais um suicídio financeiro quando caminhei até o balcão e pedi por um quarto; ou, devo dizer, quando comecei a pedir por um quarto, meu recém-descoberto "outro eu" me ordenou pedir a melhor de todas as suítes. O custo dessa suíte consumiria o meu capital em dois dias. Obedeci.

O carregador de malas pegou a minha bagagem, me entregou o *ticket* do estacionamento do meu automóvel e me conduziu até o elevador como se eu fosse o Príncipe de Gales. Era a primeira vez em mais de um ano que um ser humano havia demonstrado tal deferência comigo. Meus próprios parentes, esses com quem eu estava morando, longe de me mostrar qualquer tipo de consideração, ainda achavam que eu era um peso para eles, e tenho certeza de que eu era, porque nenhum homem no estado mental em que eu me encontrava no último ano poderia ser qualquer coisa além de um peso a todos aqueles com os quais porventura entrasse em contato.

Tornava-se evidente que meu "outro eu" estava determinado a me tirar do complexo de inferioridade que eu havia desenvolvido.

Dei ao carregador de malas um dólar. Comecei a estimar quanto seria a minha conta do hotel até o fim da semana, quando então o meu "outro eu" ordenou que eu limpasse completamente a minha mente de quaisquer pensamentos de limitação e que conduzisse a minha vida a partir daquele momento como se tivesse todo o dinheiro que quisesse nos meus bolsos.

A experiência pela qual estava passando era tanto nova quanto estranha para mim. Nunca consegui ser mais do que eu acreditava que poderia ser.

Por quase meia-hora, esse "outro eu" me deu ordens que segui à risca durante o período da minha estada na Filadélfia. As instruções que recebi por meio desses pensamentos se apresentaram à minha mente com tal força que eles eram facilmente distinguíveis de pensamentos normais criados pelo meu eu tradicional.

Eu recebo "ordens" estranhas de uma fonte estranha

Minhas instruções começaram desta forma:

"A partir deste momento, você está completamente no comando do seu 'outro eu'. De agora em diante, você deve saber que duas entidades ocupam o seu corpo, na verdade duas entidades similares ocupam o corpo de cada ser vivente do Planeta Terra."

"Uma dessas entidades é motivada e responde pelo impulso do medo. A outra é motivada e responde ao impulso da fé. Por mais de um ano você foi conduzido como um escravo pela entidade do medo."

"Há duas noites, a entidade fé assumiu o controle do seu corpo físico, e a partir daquele momento você foi motivado por essa entidade. Por mera conveniência, você pode chamar essa entidade fé de seu 'outro eu'. Ela não conhece limitações, não tem medos e não reconhece a palavra 'impossível'."

"Você foi direcionado a selecionar esse ambiente de luxo em um bom hotel, como um meio de desencorajar o retorno da entidade medo. Esse antigo eu motivado pelo medo não está morto; ele simplesmente foi destronado. E ele o seguirá aonde quer que você vá, esperando uma oportunidade favorável para tomar conta de você novamente. Ele somente pode tomar o controle de você por meio dos seus pensamentos. Lembre-se disso e mantenha as portas da sua mente hermeticamente fechadas contra todos os pensamentos que procuram limitá-lo de qualquer maneira e você assim ficará a salvo."

"Não se permita preocupar-se com o dinheiro que você precisará para suas despesas imediatas. O recurso virá a você no momento em que você necessitar dele."

"Agora, vamos aos negócios. Antes de qualquer coisa, você deve saber que a entidade fé, que agora está no comando do seu corpo, não faz nenhum tipo de milagre e também não trabalha em oposição a nenhuma das leis da natureza. Enquanto ela estiver no comando do seu corpo, ela o guiará sempre que você a chamar, por meio de impulsos de pensamentos que cruzarão pela sua mente e o ajudarão a realizar todos os seus planos da maneira mais natural, conveniente e lógica possível."

"Acima de qualquer coisa, tenha este fato claramente fixado na sua mente, que o seu 'outro eu' não fará o trabalho por você, ele somente o guiará inteligentemente no caminho para você conquistar todos os seus objetivos e desejos."

"Esse 'outro eu' o ajudará a transformar todos os seus planos em realidade. Além disso, você deve saber que ele começa sempre com o seu maior ou mais pronunciado desejo. Neste momento, o seu maior desejo – aquele que o trouxe até aqui – é publicar e distribuir os resultados da sua pesquisa nas causas de sucesso e fracasso. A sua estimativa é de que serão necessários aproximadamente 25 mil dólares."

"Entre os seus conhecidos, há um homem que estará disposto a investir o capital necessário. Comece de uma vez a imaginar e focar no nome de todas as pessoas do seu círculo de conhecidos que poderiam de alguma maneira ser induzidas a fornecer a ajuda financeira de que você está precisando."

"Quando o nome da pessoa certa vier à sua mente, você a reconhecerá imediatamente. Entre em contato com essa pessoa, e a ajuda que você procura será dada. Nos seus argumentos, contudo, apresente o seu pedido com uma terminologia tal que você usaria numa transação usual de negócios. Jamais, sob nenhuma hipótese, faça qualquer referência à descoberta desse seu 'outro eu'. Se você violar essas instruções, será acometido por uma derrota temporária."

"O seu 'outro eu' continuará no comando e permanecerá a guiá-lo enquanto você quiser fazer uso dele. Mantenha a dúvida, o medo e as preocupações e todos os pensamentos de limitação totalmente fora da sua mente."

"Isso é tudo para o momento. A partir de agora você começará a se mexer por seu livre-arbítrio, precisamente da mesma maneira que você começou antes de descobrir o seu 'outro eu'. Fisicamente, você é o mesmo que sempre foi; por isso ninguém reconhecerá nenhuma mudança em você."

Olhei em volta do quarto, pisquei os olhos e, para ter certeza de que não estava sonhando, levantei e caminhei até um espelho e olhei para mim de perto. A expressão do meu rosto havia mudado de dúvida para coragem e fé. Não havia mais qualquer sinal de dúvida na minha mente, visto que o meu corpo físico estava sob uma influência muito diferente daquela que havia sido destronada duas noites antes, enquanto eu caminhava na escola na West Virgínia.

CAPÍTULO DOIS

UM NOVO MUNDO SE REVELA PARA MIM

Obviamente, eu havia passado por uma experiência de renascimento em que todas as formas de medo haviam se afastado de mim. Eu agora tinha coragem de tal maneira que nunca havia experimentado antes. Apesar do fato de ainda não ter sido mostrado para mim como ou de que fonte eu seria capaz de receber os recursos necessários, eu tinha fé inabalável de que o dinheiro estava vindo ao meu alcance – na verdade conseguia enxergá-lo já em minha posse.

Em muito poucas ocasiões na minha vida inteira pude experimentar tal tipo de fé. Na verdade, era um sentimento indescritível. Não há palavras na língua portuguesa que possam descrevê-lo – fato que todos aqueles que tiveram experiências similares podem facilmente testemunhar.

Naquele instante, comecei a colocar em prática as instruções que havia recebido. Todo aquele sentimento de que eu estaria entrando em uma missão impossível agora haviam me deixado. Um por um, comecei a buscar em minha mente os nomes de todos os meus conhecidos que talvez pudessem ser capazes de financiar os 25 mil dólares de que eu precisava, começando com o nome de Henry Ford e passando por toda a lista de mais de trezentas pessoas. Meu "outro eu" simplesmente disse: "Continue procurando".

A hora mais escura é justamente um pouco antes da aurora

Mas eu chegara ao fim da linha. Minha lista inteira de conhecidos havia sido esgotada, e com ela minha resistência física também. Eu estava trabalhando, concentrando a minha mente naquela lista de nomes por basicamente dois dias e duas noites, parando somente para dar alguns cochilos.

Recostei-me na cadeira, fechei os olhos e entrei numa espécie de transe por alguns minutos. Fui acordado pelo que parecia ser uma explosão no quarto. Conforme ganhei consciência, o nome de Albert L. Pelton apareceu em minha mente... e com ele um plano que eu soube instantaneamente ser o plano que me faria ter sucesso em persuadir o Sr. Pelton a publicar os meus livros. Eu me lembrei do senhor Pelton somente como um editor na revista *Golden Rule* (Regra de Ouro) – aquela que eu havia publicado em anos anteriores.

Eu me sentei, peguei a máquina de escrever e enderecei uma carta ao senhor Pelton em Meriden, Connecticut, e descrevi o plano da mesma maneira que ele havia sido entregue para mim. Ele respondeu por telegrama, dizendo que estaria na Filadélfia para me ver no dia seguinte.

Quando ele chegou, mostrei a ele os manuscritos originais da minha filosofia e brevemente expliquei qual seria a sua missão. Ele pegou os manuscritos, folheou algumas páginas por alguns minutos, então parou de repente e com os olhos fixos na parede por alguns segundos disse: "Eu publicarei os livros para você".

O contrato foi assinado; uma quantia substancial de *royalties* me foi paga, e os manuscritos foram entregues a ele, que os levou para Meriden.

Eu não perguntei a ele o que o fez tomar a decisão de publicar os meus livros antes mesmo de tê-los lido, o que eu sei é que ele me forneceu o capital necessário, imprimiu os livros e me ajudou a vender milhares deles para a sua própria clientela de compradores de livros, espalhados em praticamente todos os países de língua inglesa no mundo.

Meu "outro eu" se sai bem

Três meses após o dia em que o senhor Pelton me visitou na Filadélfia, um jogo completo com todos os meus livros estava em cima da mesa, bem na minha frente, e minha renda da venda dos livros era grande o suficiente para suprir todas as minhas necessidades. Esses livros agora estão nas mãos de todos os meus estudantes do mundo inteiro.

Meu primeiro cheque dos *royalties* referente à venda dos meus livros alcançou a quantia de 850 dólares. No momento em que abri o envelope para apanhar o cheque, meu "outro eu" disse: "Sua única limitação é aquela que você impõe em sua própria mente".

Não tenho certeza de que eu entenda exatamente o que esse "outro eu" seja, mas tenho plena convicção de que não há derrota permanente para o homem ou a mulher que o descubra e confie nele.

No dia após o senhor Pelton ter ido me visitar na Filadélfia, o meu "outro eu" me presenteou com uma ideia que resolveu imediatamente o meu problema financeiro. A ideia que cruzou a minha mente me mostrava que os métodos de venda da indústria automobilística tinham que passar por uma mudança drástica e que os futuros vendedores dessa área da indústria teriam que aprender a VENDER automóveis, em vez de meramente servir de compradores de carros usados, como a maioria estava fazendo na época.

Ocorreu-me também que jovens rapazes que haviam recém-finalizado a faculdade e que por isso não conheciam nada dos velhos "truques" da venda de automóveis seriam o ponto de partida desse novo tipo de profissional de vendas e poderiam ser mais bem desenvolvidos.

A ideia era tão distinta e impressionante que eu imediatamente liguei para o gerente de vendas da General Motors e brevemente expliquei meu plano. Ele também ficou impressionado e me indicou para visitar uma filial da Companhia de Automóveis Buick, que naquela época era propriedade e dirigida por Earl Powell. Visitei o senhor Powell, expliquei-lhe meu plano e ele imediatamente me colocou para treinar quinze garotos cuidadosamente selecionados da faculdade.

A minha renda desse treinamento foi mais do que suficiente para tomar conta de todas as minhas despesas pelos três meses seguintes, até que os resultados da venda dos meus livros começassem a entrar, incluindo o custo daquela luxuosa suíte que naquela época me preocupou muito.

Meu "outro eu" não havia me desapontado. O dinheiro de que eu precisava estava em minhas mãos justamente no momento em que eu precisei. Nesse momento, fui convencido de que a minha viagem para a Filadélfia não era, sob nenhuma hipótese, uma missão sem sentido, conforme minha razão havia indicado antes de partir do oeste da Virgínia.

Daquele momento em diante até este exato minuto, tudo de que eu precisei veio até mim. E isso mesmo considerando que o mundo inteiro recentemente passara por um período de depressão econômica quando mesmo as necessidades básicas não estavam disponíveis para muitas pessoas. Em alguns momentos, a chegada das coisas materiais das quais eu precisei veio um pouco tarde, mas posso com toda a certeza dizer que o meu "outro eu" sempre me encontrou no cruzamento e por sua vez sempre me indicou por qual caminho eu deveria seguir.

O "outro eu" não tem precedentes, não reconhece nenhum tipo de limite e sempre, sempre acha um modo de satisfazer nossos desejos! Ele pode se deparar com derrotas temporárias, mas nunca com fracasso permanente. Tenho tanta certeza disso que estou afirmando quanto o fato de estar aqui escrevendo estas linhas.

Enquanto isso, sinceramente espero que alguns dos milhões de homens e mulheres que foram atingidos pela depressão econômica ou outros dissabores da vida descubram dentro de si mesmos essa estranha entidade que eu chamei de meu "outro eu" e que essa descoberta os guie, como me guiou a um intenso e próximo relacionamento com essa fonte de energia que supera obstáculos e resolve todas as dificuldades, em vez de ser derrotada por elas. Há uma grande força a ser descoberta no seu "outro eu"! Procure com todo o seu ser e você o achará.

"Fracasso": uma benção disfarçada

Fiz outra descoberta como resultado dessa apresentação ao meu "outro eu", ou seja, há uma solução para cada problema legítimo, não importa quão difícil o problema pareça ser. Também descobri que, para cada experiência de derrota temporária, para cada fracasso e cada forma de adversidade, existe a semente de um benefício equivalente.

Entenda o que eu quero dizer, não afirmei que isso seria uma flor desabrochada do sucesso, mas sim a semente pela qual essa flor germinará e crescerá. Para essa regra não há exceções. A semente da qual eu falo nem sempre pode ser observada, mas pode ter certeza de que ela está lá, de uma forma ou de outra.

Não pretendo entender tudo sobre essa estranha força que me reduziu à pobreza e a uma situação de necessidade e medo e então fez renascer uma fé dentro de mim por meio da qual tive o privilégio de ajudar dezenas de milhares de pessoas que se achavam descendo a ladeira. Mas sei que tal força entrou em minha vida como uma missão para que eu pudesse colocar outros em contato com ela.

Durante um quarto de século em que me dediquei à pesquisa das causas de sucesso e fracasso, descobri muitos princípios de verdade que têm sido úteis para mim e para outros, mas nada que observei me impressionou tanto quanto a descoberta de que cada grande líder do passado foi tomado por dificuldades e encontrou derrotas temporárias antes de alcançar os seus objetivos.

De Cristo até Edson, os homens que mais realizaram foram os que mais se depararam com formas duradouras de fracasso temporário. Isso pareceria justificar a conclusão de que a Inteligência Infinita tem um plano, ou uma lei pela qual ela faz com que homens se deparem com muitos obstáculos, antes de dar-lhes o privilégio da liderança ou a oportunidade de realizar um serviço útil, de uma forma notável.

Eu não desejaria sujeitar-me novamente às experiências pelas quais passei naquela noite fatídica de véspera de Natal em 1923, e também naquela noite quando caminhei em volta da escola na West Virgínia e lutei aquela terrível batalha contra o medo, mas toda a riqueza do mundo não seria capaz de me fazer **abandonar** o conhecimento que ganhei dessa experiência.

A fé tem um novo significado para mim

Repito que não sei exatamente o que é esse "outro eu", mas sei o suficiente para me apoiar nele com um espírito de absoluta fé em tempos de necessidade, quando a razão da minha mente parece inadequada para suprir as minhas necessidades.

A depressão econômica que começou em 1929 trouxe miséria para milhões de pessoas, mas não devemos esquecer que a experiência também trouxe muitas bênçãos, a começar pelo conhecimento de que há algo infinitamente pior do que ser forçado a trabalhar, que é ser forçado a não trabalhar. De certa forma, essa depressão foi mais uma benção do que uma maldição, se analisada à luz das mudanças que trouxe para as mentes de todos que foram afetados por ela. O mesmo é verdadeiro para cada experiência que altera os hábitos dos homens e os força a olhar para o seu "interior", para a solução dos seus problemas.

O tempo que passei em reclusão na West Virgínia foi, sem sombra de dúvidas, a mais severa das punições da minha vida, mas a experiência trouxe bênçãos na forma de conhecimentos de que eu precisava e que de certa forma mais do que compensaram o sofrimento. Estes dois resultados – o sofrimento e o conhecimento ganho dele – foram inevitáveis. A Lei da Compensação, a qual Ralph Waldo Emerson tão claramente definiu, fez esse resultado um tanto quanto natural e necessário.

O que o futuro pode guardar para mim na forma de desapontamentos, por meio de derrotas temporárias, com certeza não tenho meios de saber. Mas sei, contudo, que nenhuma experiência do futuro pode possivelmente me atingir tão profundamente quanto aquelas do passado, porque agora tenho acesso ao meu "outro eu". Desde que esse "outro eu" tomou conta de mim, venho tendo acesso a um tipo de conhecimento que por certo não teria descoberto enquanto a minha antiga entidade, chamada medo, estava no controle. Aprendi que todos aqueles que se deparam com dificuldades que parecem insolúveis podem resolvê-las e ainda melhor lidar com elas, se estiverem dispostos a esquecer suas próprias dificuldades e partir para ajudar outras pessoas que porventura estejam passando por dificuldades maiores.

O VALOR DE DAR ANTES DE TENTAR CONSEGUIR

Tenho plena certeza de que nenhum esforço que possamos fazer em prol daqueles que estão em momentos de dificuldade ocorre sem algum tipo de recompensa adequada. Nem sempre a recompensa vem daquelas próprias pessoas para as quais prestamos serviços, mas ela virá de uma fonte ou outra.

Desconfio seriamente de que nenhum homem pode utilizar-se dos benefícios desse "outro eu" enquanto estiver impregnado pela ganância e pela avareza, pela inveja e pelo medo. Mas, se eu estiver errado nessa conclusão, ainda tenho a honra de ser aquele que achou paz de espírito e alegria por meio de um ponto de vista que não estava correto. Eu preferiria assim, estar errado e feliz a estar certo e infeliz! Mas esse ponto de vista não está errado.

Enquanto eu estiver de bem com o meu "outro eu", serei capaz de adquirir qualquer coisa material de que precise. Além disso, serei capaz de conquistar felicidade e paz de espírito. O que mais poderia alguém querer?

O único motivo que me inspirou a escrever este livro foi um desejo profundo e sincero de ser útil a outros, compartilhando com eles tanto quanto eles estejam preparados para aceitar a fortuna que se tornou minha, no momento em que descobri meu "outro eu". Essa riqueza, felizmente, não pode ser medida em termos materiais ou financeiros, porque ela representa muito mais do que isso.

Riquezas materiais e financeiras, quando reduzidas aos seus valores líquidos, são mensuráveis em termos de saldos bancários. Saldos bancários não são mais fortes do que bancos. Essa outra forma de riqueza da qual falo é mensurável não somente em termos de paz de espírito e contentamento, mas da mesma forma como é manifestada naqueles que são adeptos da oração.

Quando rezo, meu "outro eu" me ensinou a concentrar-me nos meus objetivos e a me esquecer do plano que deve ser atingido. Não estou sugerindo que objetos materiais devam ser adquiridos sem planos. O que eu estou dizendo é que o poder que transforma os pensamentos e desejos em realidade tem a sua fonte na infinita inteligência, que, por sua vez, conhece mais sobre os planos do que quem está fazendo a oração.

Colocando o caso de outra forma, não seria mais inteligente, quando em oração, confiar na mente universal para nos entregar o plano que melhor se adapte à realização do objetivo da nossa oração? Minha experiência com oração me ensinou que tudo aquilo que resulta de uma oração é um plano, um plano que é adequado e adaptado para o atingimento do objetivo da oração, por um meio natural e material. O plano deve ser transmutado por meio de uma ação de alto esforço.

Eu não conheço nada a respeito de qualquer tipo de oração que possa funcionar favoravelmente em uma mente dominada, mesmo que em menor grau, pelo medo.

Um novo meio de orar

Desde que me tornei íntimo de meu "outro eu", minha forma de orar modificou-se. Eu costumava rezar somente quando encarava dificuldades. Agora, rezo antes da dificuldade, quando possível. Eu agora rezo não mais pelos bens e pelas grandes bênçãos deste mundo, mas para ser merecedor de tudo que já possuo. Acho que esse meio de orar é melhor do que o antigo.

A Inteligência Infinita parece não ficar ofendida quando rendo graças e mostro que sou grato por todas as bênçãos que coroaram meus esforços. Fiquei maravilhado quando primeiro tentei esse plano de oferecer uma oração de agradecimento por tudo que eu já possuía, pois assim descobri a vasta riqueza de que já dispunha e não apreciava.

Por exemplo, descobri que eu tinha um corpo maravilhoso que nunca havia sido seriamente danificado pela doença. Eu contava com uma mente razoavelmente bem equilibrada. Tinha uma imaginação criativa com a qual eu poderia prestar um serviço muito útil para um grande número de pessoas. Eu era abençoado com toda a liberdade que desejava, tanto de corpo quanto de mente. Nutria um desejo ardente de ajudar outros que não tinham a mesma sorte.

Descobri que a felicidade, o maior de todos os objetivos do ser humano, era minha de qualquer maneira, com depressão econômica ou sem depressão econômica. Por último, descobri que eu tinha o privilégio de me aproximar da Inteligência Infinita, tanto com o intuito de agradecer pelo que eu possuía e por iluminar e direcionar meu caminho quanto para pedir mais bênçãos.

Pode ser útil para cada leitor deste livro fazer o inventário de seus ativos intangíveis. Tal inventário pode mostrar que existem ativos que não têm valor.

Alguns sinais que nós subestimamos

O mundo inteiro está passando por um momento de mudanças de tamanhas proporções que milhões de pessoas estão em estado constante de pânico, trazendo junto consigo preocupações, dúvidas, indecisões e, principalmente, medo. Parece-me que agora é o momento certo para todos aqueles que, por alguma razão, encontram-se naquele cruzamento da dúvida e da incerteza, para que conheçam e se tornem íntimos de seus "outros eus".

Todos os que desejarem realizar tal tarefa acharão útil tirar uma lição da natureza. A observação mostrará que as estrelas eternas brilham todas as noites nos seus devidos lugares; que o Sol continua mandando seus raios de luz e calor, provendo a mãe natureza com abundância de comida e energia; que a água continua a correr da sua nascente na montanha; que os pássaros e os animais selvagens da floresta recebem condições adequadas e satisfatórias de alimento; que após um dia de trabalho vem a noite para descansarmos; que após o movimentado verão vem o inverno de calmaria; que as estações vêm e vão exatamente como faziam antes da crise de 1929 chegar; que na verdade somente as mentes dos homens deixaram de funcionar normalmente, e isso porque os homens preencheram suas mentes com o MEDO. A observação desses simples fatos da vida cotidiana pode ser muito útil como um ponto de partida para todos aqueles que desejam suplantar o medo pela fé.

Não sou um profeta, mas posso, sem falsa modéstia, predizer que todo indivíduo tem o poder de mudar seu estado material ou financeiro, mas primeiro ele ou ela tem que mudar a natureza das suas crenças.

Não confunda a palavra "crença" com a palavra "desejo". As duas não são a mesma coisa. Todo mundo é capaz de "desejar" vantagens financeiras, materiais ou espirituais, mas o elemento FÉ é a única força verdadeira pela qual um desejo pode ser transformado em uma crença, e, por sua vez, a crença transmuta-se em realidade.

E é exatamente nesse ponto o momento mais apropriado para chamar atenção para o real benefício que qualquer um pode experimentar simplesmente usando de forma deliberada a sua fé focada em qualquer forma de desejo construtivo. A mente age sempre de acordo com nossos desejos mais profundos e dominantes. Não há escapatória desse fato, isso é literalmente um fato. "Tenha muito cuidado com o que você deseja de coração, porque por certo será seu."

A fé é o começo de toda grande realização

Se Thomas Edison tivesse parado, simplesmente desejando conhecer o segredo pelo qual a energia elétrica fazia com que a lâmpada incandescente acendesse, toda a conveniência que as suas descobertas trouxeram para a civilização teria permanecido como segredos da natureza. Ele encontrou-se com o fracasso temporário por mais de dez mil vezes antes de finalmente conseguir arrancar esse segredo da natureza. Até que finalmente ela cedeu para ele, porque ele acreditou que conseguiria e, mais importante ainda, continuou tentando até que conseguiu a resposta.

Edison descobriu mais dos segredos da natureza (eles teriam sido chamados de milagres em um período anterior) no campo da física do que qualquer outro homem que já viveu, e isso porque ele ficou íntimo do seu "outro eu". Eu ouvi isso da boca do próprio Edison, mas, mesmo que eu não tivesse ouvido, as suas realizações por si mesmas revelaram esse segredo.

Nada dentro da razão é impossível para o homem ou a mulher que acredita e confia no seu "outro eu". Tudo em que um homem ou uma mulher acreditar ser verdadeiro, a partir daquele instante começa a se tornar verdadeiro.

Uma oração é uma expressão do pensamento, algumas vezes expresso em palavras audíveis e outras vezes expresso silenciosamente. Observei por experiência própria que uma oração silenciosa é tão eficaz quanto uma oração expressa em palavras. Observei também que o estado de espírito de quem está rezando é o fator determinante para a oração funcionar, ou não.

Minha concepção do "outro eu" que tenho tentado descrever é que ele simboliza meramente um novo modo de se chegar à Inteligência Infinita, um modo pelo qual se pode controlar e direcionar o simples processo de combinar a fé com os pensamentos. Isso é somente outra maneira de dizer que agora tenho muito mais fé no poder da oração.

O estado de espírito conhecido como FÉ aparentemente abre o meio para um sexto sentido, por meio do qual se pode comunicar com fontes de poder e informação que ultrapassam e muito os nossos cinco sentidos. O desenvolvimento desse sexto sentido vem sempre para sua ajuda, e ele é na verdade uma estranha força que, vamos assumir, é um anjo da guarda que pode abrir para você, sempre que quiser, a porta para o templo da sabedoria. O "sexto sentido" é a experiência mais próxima a que já cheguei de algo que se possa chamar de milagre, e ele aparece dessa forma talvez porque eu não entenda exatamente o método pelo qual esse princípio funciona.

O que eu realmente sei é que existe uma força ou uma causa central primeira, ou uma inteligência que permeia cada átomo da matéria e faz parte de cada unidade de energia perceptível pelo homem; que essa infinita inteligência converte ramos em árvores, faz com que a água escorra dos montes em resposta à lei da gravidade, faz a noite após o dia, o inverno após o verão, cada um mantendo seu próprio lugar e funcionando de forma harmoniosa, bem como o relacionamento entre si. Essa inteligência ajuda a transformar desejos em formas concretas ou materiais. Tenho esse conhecimento porque o experimentei.

Por muitos anos, venho mantendo o hábito de fazer o inventário de toda a minha vida pessoal, uma vez por ano, com o objetivo de determinar quanto de minhas fraquezas consegui ultrapassar ou eliminar, e também para calcular quanto progresso, se é que tive algum, fiz durante o ano.

CAPÍTULO TRÊS

UMA ESTRANHA ENTREVISTA COM O DIABO

Enquanto você estiver lendo a entrevista com o Diabo, você reconhecerá, a partir da breve descrição que dei da história da minha vida, o esforço desesperado do Diabo de me calar antes que eu ganhasse reconhecimento público. Você entenderá também, após ler a entrevista com o Diabo, por que a entrevista tinha que ser precedida por esta história pessoal.

Antes que você comece a ler a entrevista, eu quero que você tenha uma noção bem clara do tipo de ataque que o Diabo fez comigo, e lembre-se de que foi esse ataque final que afortunadamente virou o jogo, fazendo com que o Diabo ficasse sem saída e tivesse que se confessar.

Esse trabalho do Diabo começou com a crise de 1929. Por meio daquela feliz virada na roda da vida, perdi seiscentos acres nas montanhas de Katskill. Meus rendimentos foram a zero; o Harriman National Bank, onde todos os meus fundos estavam depositados, quebrou e com ele se foi todo o meu dinheiro. Antes que eu notasse o que estava acontecendo, me peguei no meio de um furacão espiritual e econômico que se desenvolveu numa catástrofe mundial de tal força que nenhum indivíduo ou grupo de indivíduos poderia suportar.

Enquanto esperava a tempestade passar e todo o medo que estava espalhado ceder, me mudei para Washington, a cidade onde comecei o trabalho, após o meu primeiro encontro com Andrew Carnegie, quase um quarto de século antes.

Parecia que não havia nada que eu pudesse fazer, exceto sentar e esperar. Tudo que eu tinha era tempo. Após três anos de espera sem resultados tangíveis, minha alma incansável começou a me empurrar de volta para o serviço.

Havia muito poucas oportunidades para eu ensinar uma filosofia de sucesso quando o mundo à minha volta estava no meio do mais abjeto fracasso e as mentes dos homens estavam preenchidas com o medo da pobreza.

Esse pensamento veio até mim em uma noite, enquanto eu estava dirigindo o meu automóvel em frente ao Memorial de Lincoln sobre o rio Potomac, dentro da sombra do Capitólio. Com isso, veio outro pensamento: o mundo havia experimentado uma crise sem precedentes, sobre a qual nenhum ser humano tinha o menor controle. Com essa crise, veio até mim a oportunidade de testar a filosofia da autodeterminação, a organização à qual eu havia devotado boa parte da minha vida adulta. Uma vez mais eu tinha a oportunidade de aprender se a minha filosofia era prática ou mera teoria.

Notei também que aí estava a oportunidade de testar uma frase de minha autoria, a qual eu havia pronunciado centenas de vezes: "Toda adversidade traz consigo a semente de uma vantagem equivalente". Qual, se há alguma, eu me perguntei, foi a vantagem de uma crise mundial para mim?

Quando comecei a procurar por uma direção por onde eu poderia testar a minha filosofia, fiz a descoberta mais chocante da minha vida. Descobri que, por meio de alguma estranha força que eu não entendia, eu havia perdido minha coragem; minha iniciativa tinha sido desmoralizada; meu entusiasmo havia enfraquecido. Pior do que tudo isso, eu estava envergonhado de me dar conta de que era o autor de uma filosofia de autodeterminação porque, lá no fundo do meu coração, eu sabia, ou pensava que sabia, que eu não poderia fazer a minha própria filosofia me tirar do fundo do poço e consequentemente mudar a situação desesperadora na qual me encontrava.

Enquanto eu lutava em um estado mental de total confusão e atordoamento, o Diabo devia estar dançando de felicidade. Afinal, ele tinha o autor da primeira filosofia de realização e sucesso pessoal paralisado pela indecisão.

Mas os inimigos do Diabo também deviam estar trabalhando

Enquanto eu estava sentado em frente ao Memorial Lincoln, revisando em retrospecto as circunstâncias que, por muitas vezes, elevaram-me a grandes realizações, somente para logo depois me deixarem cair de alturas equivalentes, um pensamento feliz chegou até mim, na forma de um plano de ação definido, o qual eu acreditava que poderia me desfazer de uma vez por todas desse sentimento hipnótico de indiferença ao qual eu estava preso.

Na entrevista com o Diabo, a exata natureza da força pela qual eu havia sido privado da minha iniciativa e da minha coragem foi revelada. É exatamente a mesma força a que milhões de outros foram sujeitos durante a grande crise. É a arma principal que o Diabo utiliza para enredar e controlar os seres humanos.

A essência desse novo pensamento que veio para mim era esta: apesar do fato de eu ter aprendido com Andrew Carnegie e mais de quinhentos outros que tiveram sucessos profissionais e pessoais equivalentes que realizações notáveis em todos os passos da vida vêm por meio da aplicação do "MasterMind" (a coordenação harmoniosa de duas ou mais mentes trabalhando para um mesmo objetivo), eu havia falhado em fazer tal aliança com o objetivo de colocar em prática o meu plano de revelar a primeira filosofia individual de sucesso para o mundo.

Apesar do fato de eu ter entendido o poder do MasterMind, eu havia sido relapso em apropriar-me e usar essa força. Eu estava trabalhando como um lobo solitário, em vez de associar-me com outras mentes superiores.

Uma análise

Vamos agora, brevemente, analisar essa estranha entrevista que você está prestes a ler. Alguns irão perguntar após terminá-la: "Você realmente entrevistou o Diabo ou você meramente entrevistou um Diabo imaginário?". Alguns talvez desejem a resposta a essa questão antes mesmo de começar a entrevista.

Responderei da única e mais honesta maneira que poderia, dizendo que o Diabo que entrevistei pode ter sido real tanto quanto ele dizia ser ou ele pode ter sido uma criação da minha própria imaginação. Seja lá o que ele fosse, real ou imaginário, é de muito pouca importância se comparado com a natureza e com o conteúdo das informações contidas na entrevista.

A questão realmente importante é esta: a entrevista contém alguma informação que possa ser realmente útil para as pessoas que estão tentando achar os seus lugares no mundo? Se ela tem esse tipo de informação, não importa se está contida na forma de um fato ou ficção, então ela deve ser séria e cuidadosamente analisada por meio de uma leitura muito atenciosa. Eu não tenho a menor preocupação quanto à real fonte da informação ou quanto à real natureza do Diabo, cuja história fantástica você está prestes a ler. Estou somente preocupado com o fato de que a confissão do Diabo encaixa-se perfeitamente com o que eu tenho visto da vida.

Acredito que a entrevista contenha informações de benefícios práticos para todos aqueles que ainda não acharam a vida amigável, e a razão pela qual eu acredito nisso é que eu fiz com que o tema central deste livro me trouxesse toda felicidade de que preciso, na forma que mais se encaixou na minha natureza. Eu tive o suficiente de experiências com os princípios mencionados pelo Diabo, de tal forma que posso assegurar que eles farão exatamente o que ele diz que farão. Isso é suficiente para mim. Então, passo a história desta entrevista para você, para que, seja da maneira que for, consiga extrair dela o máximo possível de dividendos em termos financeiros e pessoais.

Talvez você consiga grandes valores em termos financeiros, se você aceitar o Diabo como sendo o que ele diz que é, baseando-se na sua mensagem para seja lá o que for que ela lhe possa trazer e que você consiga aplicar da melhor maneira possível, não se preocupando em saber quem é o Diabo ou se realmente ele existe.

Se você quiser minha honesta opinião pessoal, eu acredito que o Diabo é realmente quem ele diz ser. Agora, vamos analisar a sua estranha confissão.

Após forçar a sua entrada na consciência do Diabo, o "Senhor Humano" começou a entrevista que o Diabo não queria dar, com questões que ele não poderia deixar de responder.

AQUI COMEÇA A ENTREVISTA COM O DIABO

P – Eu descobri o código secreto pelo qual tenho acesso aos seus pensamentos. Vim para lhe fazer algumas perguntas muito simples. Exijo que você me forneça respostas diretas e verdadeiras. Você está pronto para a entrevista, senhor Diabo?

R – Sim, estou pronto. Mas primeiro você deve se dirigir a mim com mais respeito. Durante esta entrevista, você se dirigirá a mim somente como "Sua Majestade".

P – Com que direito você exige tal respeito real?

R – Você deve saber que eu controlo 98% das pessoas do seu mundo. Você não acha que isso é motivo suficiente para me dar um título de realeza?

P – Você tem prova do que está afirmando?

R – Sim, tenho provas em abundância.

P – No que consistem as suas provas?

R – Consistem de muitas coisas. Se você quer respostas, você se dirigirá a mim como "Sua Majestade". Algumas coisas você entenderá; outras, não. Para que você entenda meu ponto de vista, descreverei a mim mesmo e corrigirei a falsa noção que as pessoas têm de mim e de onde eu habito.

P – Esta é uma ótima ideia, Sua Majestade. Comece me contando onde você mora e então descreva a sua aparência física.

R – Minha aparência física? Bem, meu querido Senhor Humano, eu não tenho um corpo físico. Um corpo físico me colocaria em desvantagem e seria um fardo que eu teria que carregar, tal como vocês criaturas humanas o carregam ao longo da vida. Eu consisto de Energia Negativa e vivo nas mentes das pessoas que têm medo de mim. Também ocupo metade de cada átomo da matéria física e cada unidade de energia mental e física. Talvez você entenda melhor a minha natureza se eu lhe disser que sou a porção negativa do átomo.

P – Ah, eu entendo o que você está querendo dizer. Você está preparando o terreno para dizer que, se não fosse por você, não haveria mundo, nem estrelas, nem elétrons, nem átomos, nem seres humanos, nada. Não é isso?

R – Verdade! Você está absolutamente certo.

P – Bem, se você ocupa somente metade da energia e da matéria, quem ocupa a outra metade?

R – A outra metade é ocupada pela minha "oposição".

P – Oposição? O que você quer dizer com isso?

R – A oposição é o que vocês, humanos, chamam de Deus.

P – Então, você divide o universo com Deus, é isso que você está dizendo?

R – Não é o que eu estou dizendo, isso é um fato. Antes do final desta entrevista, você entenderá por que as minhas afirmações são verdadeiras. Você também entenderá por que elas têm que ser verdadeiras, ou não poderia haver um mundo como você o conhece, muito menos criaturas humanas como você. Eu não sou nem de perto uma besta com um garfo e um rabo pontudo.

P – Mas você controla as mentes de 98 em cada 100 pessoas. Você mesmo disse. Quem causa toda a miséria desses 98% do mundo controlados pelo Diabo, se não é você?

R – Eu não disse em momento algum que não sou a causa de toda a miséria do mundo. Por outro lado, me vanglorio disso. O meu negócio é representar o lado negativo de tudo, incluindo os pensamentos negativos de vocês, humanos. De que outra maneira eu poderia controlar as pessoas? A minha oposição controla o pensamento positivo. Eu controlo o pensamento negativo.

P – Como você assume o controle das mentes dessas pessoas?

R – Ah, isso é fácil: eu simplesmente entro em suas mentes e ocupo o espaço que não é usado do cérebro humano. Eu planto as sementes do pensamento negativo nas mentes das pessoas, e dessa forma eu consigo ocupar e controlar o espaço!

P – Você deve ter muitos truques e ferramentas pelas quais você ganha o controle e o acesso à mente humana.

R – Para ser claro, eu emprego truques e meios para controlar o pensamento humano. Os instrumentos que uso também são inteligentes.

P – Vá em frente e me descreva os seus truques inteligentes, Sua Majestade.

R – Um dos mais astutos instrumentos que uso para o controle da mente humana é o medo. Planto a semente do medo nas mentes das pessoas e, conforme essas sementes germinam e crescem, pelo uso contínuo dos pensamentos negativos, controlo o espaço que elas ocupam. Os seis medos mais efetivos são o medo da pobreza, da crítica, da perda da saúde, da perda do amor, da velhice e da morte.

P – Qual desses seis medos mais o ajuda a assumir o controle, Sua Majestade?

R – O primeiro e o último – pobreza e morte. Em um momento ou outro durante a vida, amarro as pessoas com um deles ou até ambos.

Planto esses medos nas mentes das pessoas de forma tão inexorável que elas acreditam que esses medos são sua própria criação. Realizo essa tarefa fazendo com que as pessoas acreditem que eu estou lá, esperando-as no portão de entrada da próxima vida, esperando para julgá-las e puni-las por toda a eternidade. É claro que não posso punir ninguém, exceto na própria mente dessa pessoa, por meio de alguma forma de medo – mas medo daquilo que não existe é tão útil para mim quanto o medo daquilo que existe. Todas as formas de medo ampliam o espaço que ocupo na mente humana.

P – Sua Majestade, você explicará como ganhou esse controle sobre os seres humanos?

R – A história é muito longa para ser contada em poucas palavras. Tudo começou há mais de um milhão de anos, quando o primeiro homem começou a pensar. Até aquele momento eu tinha o controle sobre todos os homens, mas inimigos meus descobriram o poder do pensamento positivo e o colocaram nas mentes dos homens. Aí então começou uma batalha de minha parte para permanecer no controle. Até este momento, eu tenho me saído muito bem, tendo perdido somente 2% das pessoas para a oposição.

P – O que eu posso extrair da sua resposta é que os homens que PENSAM são os seus inimigos. Isso está certo?

R – Isso não está "certo", mas está correto.

P – Me conte mais sobre o mundo em que você vive.

R – Vivo onde quer que eu escolha. O tempo e o espaço não existem para mim. Sou uma força que, para descrever melhor para você, deve ser considerada como energia. Meu lugar físico favorito, conforme lhe falei, são as mentes das pessoas. Controlo uma parte do espaço do cérebro de cada ser humano. A quantidade de espaço que eu ocupo na mente de cada indivíduo depende do quanto e de que tipo de pensamento essa pessoa mantém em sua mente. Conforme já lhe falei, não posso, sob nenhuma hipótese, controlar uma pessoa que pense.

P – Você fala da sua oposição. O que você quer dizer com isso?

R – O meu oponente controla todas as forças positivas do mundo, tal como o amor, a fé, a esperança e o otimismo. O meu oponente também controla os fatores positivos de todas as leis naturais do universo, as forças que mantêm a Terra e os planetas e todas as estrelas de forma harmônica nos seus devidos cursos. Mas essas forças são ínfimas em comparação com aquelas que operam na mente humana que está sob o meu controle. Como você pode ver, não tenho nenhuma intenção de controlar estrelas e planetas. Prefiro controlar as mentes humanas.

P – Onde você adquiriu a sua força e de que maneira você a mantém?

R – Adquiro a minha força me apropriando do poder da mente dos humanos, conforme eles passam pelo portal no momento de suas mortes. Noventa e oito de cada cem que voltam para o meu plano, vindo do plano da Terra, são assumidos por mim, e o poder de sua mente é acrescentado ao meu ser. Pego todos aqueles que vêm com qualquer forma de medo. Estou constantemente trabalhando, preparando as mentes das pessoas antes da morte, de tal forma que eu possa me apropriar delas quando voltarem para o meu plano.

P – Você me dirá como você realiza efetivamente esse trabalho de preparar as mentes humanas, de tal forma que você possa ganhar o controle sobre elas?

R – Tenho inúmeras maneiras de ganhar o controle das mentes humanas, enquanto elas ainda estão no plano da Terra. A minha maior arma é a pobreza. Eu deliberadamente desencorajo as pessoas a acumular riqueza material porque a pobreza, em si mesma, tira a habilidade dos homens de pensar e os faz uma presa fácil para mim. Outro grande aliado meu é a doença. Um corpo doente desencoraja o pensamento, aí então, tenho milhares de trabalhadores na Terra que me ajudam a ganhar o controle das mentes humanas. Tenho esses agentes estrategicamente colocados em todos os lugares, independentemente de raça, credo ou religião.

P – Quem são os seus maiores inimigos na Terra, Sua Majestade?

R – Todos aqueles que inspiram as pessoas a pensar e agir de acordo com as suas próprias iniciativas são meus inimigos. Homens tais como Sócrates, Confúcio, Voltaire, Emerson, Thomas Paine e Abraão Lincoln. E você também não está me fazendo nenhum bem.

P – É verdade que você usa homens que possuem grandes riquezas?

R – Conforme já lhe falei, a pobreza é sempre minha aliada porque ela desencoraja a livre expressão de pensamentos e encoraja o medo nas mentes dos homens. Alguns homens ricos servem à minha causa, enquanto outros me atrapalham muito, dependendo da forma como essa riqueza é utilizada. A fortuna do grande Rockefeller, por exemplo, é uma das minhas piores inimigas.

P – Isso é interessante, Sua Majestade; você pode me contar por que você teme a fortuna dos Rockefeller mais do que as outras?

R – O dinheiro de Rockefeller está sendo usado para isolar e conquistar a cura de doenças do corpo físico em várias partes do mundo. A doença sempre foi uma das minhas armas mais eficazes. O medo da doença só perde para o medo da pobreza. O dinheiro de Rockefeller está ajudando na descoberta de novos segredos da natureza em centenas de modos diferentes, onde todos esses meios estão sendo utilizados para ajudar homens a terem total controle sobre suas próprias mentes. Esses meios estão encorajando novos e melhores métodos de alimentação, de vestuário e habitação. Esse dinheiro está sendo usado para acabar com favelas nas grandes cidades, lugares onde meus aliados favoritos são encontrados. Está também financiando campanhas por governos melhores e ajudando a acabar com a desonestidade na política. Está colaborando para melhorar os padrões de negócios do mundo e encorajando homens de negócio a conduzirem suas empresas pela regra de ouro; e isso não é bom para minha causa.

P – O que você pode me dizer sobre garotos e garotas que as pessoas dizem que estão no caminho para o Inferno? Você os controla também?

R – Bem, eu posso responder essa questão somente com sim e não. Corrompi as mentes desses jovens os ensinando a beber e a fumar, mas eles têm me surpreendido com uma tendência muito séria de pensar por si mesmos.

P – Você diz que corrompeu as mentes dos jovens com álcool e cigarros. Consigo entender como a bebida alcoólica pode destruir o poder do pensamento independente, mas não consigo enxergar de que forma os cigarros podem ajudar na sua causa.

R – Você pode não saber, mas os cigarros quebram o poder da persistência; eles destroem o poder da resistência, acabam com a habilidade de concentração. Eles matam e diminuem a imaginação e ajudam em muitos outros meios para que as pessoas não usem as suas mentes da forma mais efetiva. Você sabia que tenho milhões de pessoas, jovens e velhas de ambos os sexos, que fumam dois maços de cigarros por dia? Isso significa que eu tenho milhões de pessoas que estão gradualmente destruindo o seu poder de resistência. Um dia, adicionarei ao seu hábito de fumar cigarros outros hábitos destruidores de pensamento, até o momento exato de ganhar o controle de suas mentes. Hábitos vêm em pares, em trios e em quartetos. Qualquer hábito que enfraqueça a força de vontade de uma pessoa também abre portas para outros hábitos negativos dominarem a mente dessa pessoa. O hábito do cigarro não somente diminui o poder de resistência, como também desencoraja a persistência, além de enfraquecer outras relações humanas.

P – Nunca pensei que cigarros pudessem ser uma arma de destruição, Sua Majestade, mas a sua explicação dá um novo enfoque no assunto. Quantos se entregam a esse hábito destrutivo de que você tanto se gaba?

R – Eu estou orgulhoso dos meus números. Milhões agora são vítimas e o número cresce dia a dia. Em breve, devo ter a maior parte do mundo entregue a esse hábito. Em milhares de famílias tenho seguidores desse hábito, incluindo cada membro da família. Garotos e garotas muito jovens estão se entregando a ele. Eles estão aprendendo como fumar apenas observando os seus pais, irmãos mais velhos e irmãs.

P – Quais dos dois você considera a maior arma para ganhar o controle das mentes humanas, o cigarro ou a bebida?

R – Sem hesitar, eu diria o cigarro. Uma vez que eu consiga que um jovem se junte ao clube de dois maços por dia, não tenho problema algum em induzir essa pessoa a começar a beber, a se esbaldar no sexo, e todos os outros hábitos relacionados com a destruição do pensamento independente e da ação.

P – Sua Majestade, quando comecei esta entrevista eu tinha uma noção totalmente errada a seu respeito. Pensava que você era uma fraude e um tanto quanto irreal. Mas agora vejo que você é muito real e realmente muito poderoso.

R – A sua desculpa é aceita, mas você não precisa se preocupar. Milhões de pessoas já questionaram meu poder, e a maior parte delas eu peguei no meu portal, assim que elas fizeram a passagem. Não peço que ninguém acredite em mim. Prefiro que as pessoas tenham medo de mim. Não sou um mendigo, consigo tudo que eu quero pela inteligência e pela força. Mendigar para que as pessoas acreditem nos meus princípios não faz parte da minha natureza, e sim da minha oposição.

P – Sua Majestade, por favor, me perdoe se eu estiver sendo rude, mas eu não seria capaz de me olhar no espelho novamente se não lhe dissesse, aqui e agora, que você realmente é uma desgraça, porque se aproveita de pessoas inocentes. Sempre tive o conceito errado a seu respeito. Eu pensava que você era gentil o suficiente para deixar as pessoas em paz enquanto elas estivessem vivendo, que você torturava suas almas somente após a sua morte. Mas agora vi, pela sua própria confissão, que você destrói o direito ao livre pensamento e faz com

que as pessoas vivam um verdadeiro inferno na Terra. O que você tem a dizer em relação a isso?

R – Eu consigo o que quero exercendo o autocontrole. Não é tão bom para minha causa, mas sugiro que você me imite em vez de me criticar. Você se autointitula um pensador e você realmente é, pois de outra forma você nunca teria me forçado a confessar minha natureza numa entrevista como esta. Mas você nunca será o tipo de pensador que me amedronta, a não ser que você consiga ganhar e exercer total controle sobre suas próprias emoções.

P – Bem, vamos nos afastar desse assunto de personalidades. Vim aqui para aprender mais sobre você, e não para discutir a meu respeito. Por favor, vamos em frente e me conte: quais outros dos muitos truques que você tem para ganhar o controle da mente humana? Qual sua arma mais poderosa exatamente agora?

R – Essa é uma questão difícil de responder. Tenho tantos meios e instrumentos para entrar e controlar as mentes humanas que é difícil dizer qual é o mais poderoso. Exatamente neste momento estou tentando fazer uma nova Guerra Mundial. Os meus amigos aqui em Washington estão me ajudando a envolver os Estados Unidos nessa guerra. Se eu conseguir fazer com que o mundo comece a se matar de forma maciça, serei capaz de colocar em ação o meu instrumento favorito para o controle da mente. É o que você pode chamar de medo sistêmico e generalizado. Usei esse instrumento para trazer a Guerra Mundial de 1914. Também o utilizei para causar a crise econômica de 1929 e, se a minha oposição não tivesse se adiantado a mim, neste momento, eu estaria controlando cada homem, mulher e criança neste mundo. Você pode ver por si mesmo o quão perto eu cheguei para a dominação completa do mundo – aquilo por que venho lutando para conseguir há milhares de anos.

P – Sim, estou entendendo. Quem não entenderia? Você é um manipulador muito engenhoso das mentes das pessoas. Você usa o seu

poder diabólico somente em pessoas de posição privilegiada e de grande influência?

R – Ah, não! Eu uso as mentes de pessoas de todas as classes. Na verdade, prefiro o tipo de pessoa que não pensa por si mesma. Consigo manipular esse tipo de pessoa sem nenhuma dificuldade. Eu não poderia controlar 98% das pessoas do mundo se todas fossem hábeis para pensar por si mesmas.

P – Estou interessado no bem-estar de todas aquelas pessoas que você diz controlar. Por isso desejo que você me conte todos os truques utilizados para entrar e controlar as mentes. Quero uma confissão completa, portanto, comece com o seu truque mais ardiloso.

R – Isso que você está me forçando a fazer chama-se suicídio, mas eu não tenho o que fazer. Acalme-se, colocarei em suas mãos a arma pela qual milhões de coirmãos seus poderão se defender de mim.

CAPÍTULO QUATRO

ALIENANDO-SE COM O DIABO

P – Diga-me primeiro qual o seu truque mais inteligente – aquele que você usa para capturar o maior número possível de pessoas.

R – Se você me forçar a revelar esse segredo, isso significará a perda de milhões de humanos que hoje habitam o planeta Terra e ainda milhões que estão por nascer. Eu lhe imploro que me permita passar por essa questão sem respondê-la.

P – Então, Sua Majestade, o Diabo, está com medo de uma simples e humilde criatura humana! Isso está certo mesmo?

R – Certo, para mim, não está! Mas é verdade! Você não tem necessidade de roubar a minha ferramenta de trabalho mais importante. Por milhões de anos dominei as criaturas humanas por meio do medo e da ignorância. Aí você vem e pensa em destruir as minhas armas fazendo com que eu conte como as uso contra as pessoas. Você não se deu conta de que, se me forçar a revelar meus segredos, perderei a minha vantagem e meu poder sobre as mentes que porventura lerem esta confissão? Você não tem compaixão? Onde está o seu senso de humor? Você não sabe brincar?

P – Pare de enrolar e comece a confessar. Quem você pensa que é para pedir compaixão se ambos sabemos que, se você pudesse, me destruiria? Quem é você para falar em senso de humor e habilidade em jogar e brincar? Logo você, que pune pessoas inocentes, utilizando-se dos seus medos e ignorâncias. O meu verdadeiro negócio aqui, se é que se pode chamar assim, é ajudar a abrir as portas das

prisões autoimpostas, na qual homens e mulheres estão confinados pelos medos que você vem plantando em suas mentes.

R – A arma mais poderosa que tenho sobre os seres humanos consiste em dois princípios secretos de controle mental. Primeiramente, falarei sobre o princípio do hábito, por meio do qual eu silenciosamente entro nos recônditos das mentes das pessoas. Operando por esse princípio, estabeleço (gostaria de poder evitar o uso desta palavra) o hábito de ALIENAR. Quando uma pessoa começa a alienar-se em qualquer assunto, ela se dirige diretamente para as portas do que vocês, seres humanos, chamam de Inferno.

P – Descreva todos os modos como você induz as pessoas a se alienarem. Defina a palavra "alienação" e conte-nos exatamente o que ela significa.

R – A melhor definição que posso dar para a palavra "alienação" é afirmando que todas as pessoas que pensam por si mesmas nunca se alienam, enquanto aquelas que não pensam, ou pensam o mínimo possível, são as chamadas "alienadas". Um alienado é aquele que se deixa ser influenciado e controlado por circunstâncias externas à sua mente. Ele prefere deixar que eu ocupe a sua mente e use o seu intelecto do que ter o trabalho de pensar por si mesmo. O alienado é aquele que aceita qualquer coisa que a vida lhe oferece sem julgar ou lutar por aquilo que quer, porque na verdade ele não sabe o que quer da vida e gasta boa parte de seu tempo tentando justamente descobrir isso! Um alienado emite muitas opiniões, mas elas não são suas. A maior parte delas provém de mim. O alienado é aquele que é muito preguiçoso para usar o seu próprio cérebro. E essa é a principal razão de por que eu consigo assumir o controle de seus pensamentos e plantar as minhas ideias na sua mente.

P – Acho que compreendi bem o que é um alienado. Diga-me exatamente quais são os hábitos das pessoas que se alienam ao longo de sua existência. Comece me contando quando e como você ganha o controle da mente de uma pessoa.

R – O controle que exerço sobre um ser humano inicia-se ainda na sua juventude. Algumas vezes, lanço as bases para o controle da mente antes ainda de a pessoa ter nascido, manipulando a mente dos seus pais. Algumas vezes, vou ainda mais longe e preparo o controle da mente desses seres humanos por meio do que vocês chamam de "hereditariedade física". Então, conforme você pode ver, tenho duas maneiras de entrar na mente de uma pessoa.

P – Sim. Vá em frente e descreva essas duas portas pelas quais você entra e controla as mentes dos seres humanos.

R – Como já afirmei, ajudo a trazer as pessoas para o seu mundo com mentes fracas, fornecendo a elas todas as fraquezas dos seus ancestrais. Você chama esse princípio de hereditariedade física. Após o nascimento, uso o que vocês seres humanos chamam de ambiente como um meio de controlá-los. É aí que entra o princípio do hábito. **A mente é nada mais nada menos do que a soma de todos os hábitos!** Um por um, entro na mente e estabeleço hábitos, que levam finalmente à completa e absoluta dominação.

P – Diga-me: quais são os hábitos mais comuns pelos quais você controla as mentes das pessoas?

R – Aqui vem um dos meus mais sábios truques: entro nas mentes das pessoas por meio de pensamentos que elas acreditam serem seus. Os mais úteis para mim são medo, superstição, avareza, ganância, luxúria, vingança, raiva, vaidade e preguiça. Por meio de um ou mais destes, consigo entrar em qualquer mente, em qualquer idade, mas consigo meus melhores resultados quando assumo o controle de uma mente ainda jovem, antes que o seu "proprietário" tenha aprendido a fechar alguma dessas nove portas. Então, estabeleço hábitos que mantêm essas portas abertas para sempre.

P – Estou começando a entender os seus métodos. Agora vamos voltar para o hábito de alienar-se. Conte-nos sobre esse hábito que você diz ser o seu melhor truque para controlar as mentes das pessoas.

R – Como disse antes, faço com que as pessoas comecem a alienar-se ainda durante a sua juventude. Eu as induzo a alienarem-se por meio das escolas, sem elas saberem que ocupação elas desejam seguir na vida. Aqui, pego a maioria das pessoas, tal como os hábitos. Aliene-se em uma direção e em breve você estará alienado em todos os segmentos. Também uso hábitos do meio para me darem o controle definitivo das minhas vítimas.

P – Entendo. Faz parte do seu negócio treinar crianças no hábito de alienar-se, induzindo-as a ir para a escola sem propósito ou objetivo. Agora, me conte alguns dos seus outros truques pelos quais você faz as pessoas alienarem-se.

R – Bem, meu segundo melhor truque em desenvolver o hábito de alienar-se é um que coloco em operação em conjunto com pais, professores e instrutores religiosos. Eu o previno a não me forçar a mencionar esse truque, não o revele. Se você o fizer, você será odiado pelos cotrabalhadores que me ajudam a usá-lo. Se você publicar essa confissão em forma de um livro, o seu livro será barrado das escolas. Ele certamente irá para a lista negra da maioria dos religiosos, ele será escondido das crianças por muitos pais, os jornais não ousarão fazer resenhas de seu livro. Milhões de pessoas o odiarão por escrever este livro. Na verdade, ninguém gostará de você ou do seu livro, exceto aqueles que pensam, e você sabe como poucos são desse tipo! Meu conselho pra você é que deixe passar a revelação desse segundo truque.

P – Então, para o meu próprio bem, você deseja que eu mantenha escondida a revelação do seu segundo melhor truque. Ninguém gostará do meu livro exceto aqueles que pensam, é isso? Muito bem, vá em frente e responda.

R – Você se arrependerá disso, Senhor Humano. Mas você será alvo de piada. Devido a esse seu erro, você transferirá a atenção de mim para você. Meus cotrabalhadores, que são milhões, esquecerão de mim e o odiarão por revelar os meus métodos, que eles pensam serem seus.

P – Não se preocupe comigo. Conte-me tudo sobre esse seu segundo melhor truque, com o qual você induz as pessoas a alienarem-se com você para o Inferno.

R – Meu segundo melhor truque não é segundo, na verdade. É o primeiro! É o primeiro porque sem ele eu jamais ganharia o controle dos jovens. Pais, professores, instrutores religiosos e muitos outros adultos, sem terem consciência disso, servem à minha causa ajudando-me a destruir o hábito de fazer as crianças pensarem por si mesmas. Eles fazem o seu trabalho de várias formas, nunca suspeitando do que eles estão fazendo na mente das crianças ou a real causa dos erros dos pequenos.

P – Eu mal posso acreditar em você, Sua Majestade. Eu sempre acreditei que os melhores amigos das crianças fossem aqueles mais próximos a elas, seus pais, seus professores e seus instrutores religiosos. Aonde as crianças iriam sem esses guias de que elas dependem tanto e que são responsáveis por elas?

R – É aí que entra a minha sabedoria. Esta é a explicação exata de como controlo 98% das pessoas do mundo. Assumo o controle das pessoas durante sua juventude, antes que eles tenham o controle de suas próprias mentes, usando aqueles que são responsáveis por elas. Preciso especialmente da ajuda daqueles que ministram instruções religiosas às crianças, porque é aqui que eu acabo com o pensamento independente e começo o hábito da alienação, confundindo as mentes das pessoas com ideias que não são provadas e que têm a ver com um mundo de que elas não conhecem nada. É também aqui que eu planto nas mentes das crianças o maior de todos os medos – o medo do Inferno!

P – Entendo que é muito fácil para você assustar as crianças com ameaças do Inferno. Mas como você consegue fazer com que elas continuem a temer você e o seu Inferno após elas tornarem-se adultas e pensarem por si mesmas?

R – As crianças crescem, mas nem sempre aprendem a pensar por si mesmas. Uma vez que eu consiga capturar a mente de uma criança por meio do medo, enfraqueço a habilidade dessa criança de pensar racionalmente e também de pensar por si mesma. E essa fraqueza ela carrega durante toda a sua vida.

P – Contaminar a mente de uma criança antes que ela tenha total controle sobre si mesma não seria tomar para si uma vantagem desleal?

R – Os fins justificam os meios. Sendo assim, é justo. Não tenho essas limitações idiotas de certo e errado. O que me importa é o poder. Uso toda e qualquer fraqueza humana que conheço para ganhar e manter o controle da mente.

P – Entendo a sua natureza diabólica, e agora vamos voltar e discutir mais sobre os métodos que você utiliza para induzir as pessoas a alienarem-se, transformando suas vidas em um Inferno na Terra. Pela sua confissão, entendi que você toma as mentes das crianças enquanto elas são muito jovens e vulneráveis. Agora, me conte como você usa pais, professores e líderes religiosos para provocar a alienação nas pessoas.

R – Um dos meus truques favoritos é coordenar os esforços de pais e instrutores religiosos de forma que eles possam trabalhar em conjunto comigo para aniquilar o poder das crianças de pensarem por si mesmas. Uso muitos líderes religiosos para diminuir a coragem e a força dos pensamentos independentes das crianças. E como faço isso? Fazendo com que eles me temam. Mas uso os pais para ajudar os líderes religiosos nessa grande tarefa designada por mim.

P – Como os pais ajudam os líderes religiosos a destruir o poder que as crianças têm de pensarem por si mesmas? Nunca ouvi tal monstruosidade.

R – Consigo isso por meio de um truque muito inteligente. Faço com que os pais ensinem as suas crianças a acreditarem neles e em todos os assuntos importantes com que eles lidam em suas vidas, tais como religião, política, casamento e outros mais. Dessa forma, como você pode ver, quando eu ganho o controle da mente de uma pessoa, consigo facilmente perpetuar o controle fazendo com que essa pessoa me ajude a ganhar a mente de seus filhos.

P – De que outras formas você usa os pais para transformarem os seus filhos em alienados?

R – Faço com que as crianças se tornem alienadas simplesmente fazendo-as seguirem o exemplo de seus pais, dos quais a maioria eu já tenho o controle, e os tenho como ajudantes eternos da minha causa. Em algumas partes do mundo, ganho a mente das crianças e subjugo a sua força de vontade exatamente da mesma maneira que os homens conseguem domesticar animais de pouca inteligência. Não faz nenhuma diferença para mim de que forma a vontade de uma criança é subjugada, contanto que ela tenha algum tipo de medo. Entrarei nessa mente por meio do medo e limitarei o seu poder de pensar independentemente.

P – Me parece que você faz qualquer coisa para que as pessoas não pensem...

R – Sim. Pensamento disciplinado e organizado significa morte para mim. Não consigo existir nas mentes daqueles que pensam de forma apurada. Não me importo que as pessoas pensem, desde que elas pensem com foco no medo, no desencorajamento, no desespero e na destruição. Quando elas começam a pensar de forma construtiva em termos de fé, coragem, esperança e com propósitos definidos, elas imediatamente se tornam aliadas da minha oposição e, consequentemente, eu as perco.

P – Estou começando a entender como você ganha o controle das mentes das crianças por meio da ajuda de seus pais e instrutores religiosos, mas não vejo como professores podem ajudá-lo nesse trabalho tão tenebroso.

R – Os professores me ajudam a ganhar o controle das mentes das crianças não tanto pelo que ensinam a elas, mas muito mais pelo que eles não ensinam. Todo o sistema de escolas é administrado de forma a, estrategicamente, ensinar às crianças quase tudo, exceto como usarem as suas mentes a pensar de forma independente. Vivo sempre com medo de que algum dia alguma pessoa corajosa reverterá esse sistema de ensino e decretará a morte da minha causa, permitindo que os estudantes se tornem instrutores e usando aqueles que hoje servem como professores somente como guias para ajudarem as crianças a estabelecer modos e recursos para desenvolverem as suas próprias mentes, começando pelo seu próprio interior. Quando esse tempo chegar, os professores não mais pertencerão à minha equipe.

P – Tinha a impressão de que o objetivo de todas as escolas era ajudar as crianças a pensar.

R – Esse pode ser o objetivo das escolas, mas o sistema, em muitas das escolas do mundo, não consegue atingir essa meta. As crianças da escola são ensinadas não a desenvolver e usar as suas próprias mentes, mas sim a adotar e usar os pensamentos de outros. Esse tipo de escola destrói a capacidade de pensamento independente, exceto em alguns casos raros, em que crianças definitivamente têm que contar somente com a sua força de vontade e assim conseguem manter o seu próprio modo de pensar. Pensamento apurado é o negócio da minha oposição, não o meu.

P – Qual a relação, se há alguma, entre a sua oposição e os lares, as escolas e as igrejas? A sua resposta a essa questão deve ser interessante.

R – É aqui que eu faço uso de alguns dos meus mais sábios truques. Faço com que tudo que é feito pelos pais, pelos professores e pelos instrutores religiosos pareça ter sido feito pela minha oposição. Isso tira o foco de mim enquanto manipulo as mentes dos jovens. Quando os instrutores religiosos tentam ensinar às crianças as virtudes da minha oposição, geralmente o fazem assustando-as com meu nome. Isso é tudo que peço deles. Fomento a chama do medo de tal forma que o poder de pensar de forma apurada da criança fica comprometido. Nas escolas, os professores aprofundam a minha causa mantendo as crianças tão ocupadas decorando informações não essenciais em suas mentes que elas não têm a oportunidade de pensar ordenadamente ou de analisar corretamente as coisas que lhes são ensinadas.

P – Você considera, a favor da sua causa, todos aqueles que são pegos no hábito de alienar-se?

R – Não. Alienar-se é somente um dos meus truques, por meio do qual assumo o poder que seria do pensamento independente. Antes que um alienado se torne propriedade permanente minha, devo guiá-lo e fisgá-lo com outro truque. Contarei a você sobre esse outro truque depois que eu finalizar a descrição dos meus métodos de converter as pessoas em alienados.

P – Significa então que você tem um método pelo qual faz as pessoas se alienarem de tal forma que o seu poder de autodeterminação fica totalmente comprometido, impedindo-as de buscar a própria salvação?

R – Sim. Um método definitivo. E é tão efetivo que nunca falha.

P – Entendo que você diz que o seu método é tão poderoso que a sua oposição não consegue resgatar aqueles que você fisgou pelo hábito da alienação?

R – É exatamente isso que estou dizendo! Você acha que eu controlaria tantas pessoas se a minha oposição pudesse evitar isso? Nada pode me deter de controlar as pessoas, exceto as próprias pessoas. Nada pode me parar, exceto o poder do pensamento apurado. Pessoas que pensam de forma apurada não se alienam em nenhum assunto. Elas reconhecem o poder de suas próprias mentes. Além disso, elas assumem o poder de suas mentes e não permitem que nada, nem ninguém, possa influenciá-las.

P – Vá em frente e conte-me mais dos seus métodos, pelos quais você faz as pessoas alienarem-se para o Inferno com você!

R – Faço com que as pessoas se alienem em todos os assuntos em que eu possa controlar o pensamento independente e a ação. Pegue, por exemplo, o tema saúde. Faço com que a maioria das pessoas coma muita comida e o tipo errado de comida. Isso leva à indigestão e à obesidade e destrói o poder do pensamento apurado. Se as escolas e igrejas ensinassem às crianças maneiras mais sadias de alimentar-se, elas causariam um dano irreparável à minha causa.

Casamento: faço com que homens e mulheres alienem-se em seus casamentos sem planos ou objetivos delineados para converter o relacionamento em harmonia. Aqui está um dos meus mais efetivos métodos de converter as pessoas ao hábito de alienar-se. Faço com que pessoas casadas discutam e briguem sobre assuntos financeiros. Eu as faço brigar e desentender-se sobre a forma de educar as crianças. Faço com que entrem em controvérsias desagradáveis sobre seus próprios assuntos íntimos e em desacordos sobre amigos e atividades sociais. Eu as mantenho tão ocupadas procurando falhas uma no outra que elas nunca têm tempo suficiente para fazer qualquer coisa que pudesse quebrar o hábito da alienação.

Profissão: ensino às pessoas a tornarem-se alienadas fazendo com que elas abandonem as escolas para pegar o primeiro emprego que acham, sem nenhum plano ou objetivo definido, sem nenhuma meta ou propósito, exceto a sobrevivência. Por meio desse truque, mantenho milhões de pessoas tomadas pelo medo da pobreza durante toda a vida. Por meio desse medo, eu as guio lentamente, mas sempre para a frente, até o ponto em que nenhum indivíduo consegue quebrar o hábito da alienação.

Poupança: faço com que as pessoas gastem deliberadamente e que economizem o mínimo ou nada, até que eu as tenho totalmente sob controle pelo medo da pobreza.

Ambiente: faço com que as pessoas alienem-se em ambientes desarmoniosos e desagradáveis em seus lares, nos lugares onde trabalham, nos seus relacionamentos com parentes e desconhecidos, e faço com que elas fiquem nesses ambientes até que eu as tenha sob controle, no hábito da alienação.

Pensamentos dominantes: faço com que as pessoas alienem-se caindo no hábito de pensar negativamente. Isso leva a atos negativos e envolve as pessoas em controvérsias e preenche as suas mentes com temores, pavimentando, dessa forma, o caminho para eu entrar e controlar as suas mentes. Quando entro, faço com que as pessoas pensem que esses pensamentos negativos são criações suas. Planto as sementes do pensamento negativo nas mentes das pessoas por meio do púlpito das igrejas, dos jornais, dos filmes, do rádio e de todos os outros meios de que a mídia se utiliza para chegar até a mente. Faço com que as pessoas me permitam tomar conta de seus pensamentos porque elas estão muito preguiçosas ou muito indiferentes para pensarem por si mesmas.

P – Concluo, pelo que você diz, que alienação e procrastinação são a mesma coisa. É verdade?

R – Sim, isso é verdade. Qualquer hábito que leve uma pessoa a procrastinar – de tal forma que a pessoa deixe para depois tomar uma decisão definitiva – conduz ao hábito da alienação.

P – O homem é a única criatura que se aliena?

R – Sim. Todas as outras criaturas movem-se de acordo com leis definidas pela natureza. O homem sozinho desafia as leis da natureza e aliena-se quando quer. Tudo que ocorre fora das mentes dos homens é controlado pela minha oposição, por leis tão claras e definidas que se alienar é impossível. Controlo as mentes dos homens somente devido aos seus hábitos de se alienarem, que é outra maneira de dizer que controlo as suas mentes somente porque eles negligenciam e recusam-se a controlar e usar as suas próprias mentes.

P – Isso está ficando uma coisa muito profunda para um mero ser humano. Vamos voltar para a discussão de algo menos abstrato. Por favor, me diga como o hábito da alienação afeta as pessoas no dia a dia da vida e diga-me também de que forma uma pessoa mediana conseguiria entender.

R – Eu preferiria manter esta entrevista entre as estrelas, em alto nível!

P – Não tenho dúvida que você preferiria. Isso o pouparia de ficar exposto. Mas vamos voltar para a Terra. Diga-me agora o que o hábito da alienação está fazendo para nós, como nação aqui nos Estados Unidos.

R – Francamente, devo dizer a você que odeio os Estados Unidos de tal forma que só o Diabo pode odiar.

P – Isso é interessante. Qual a causa desse ódio?

R – A causa nasceu em 4 de julho de 1776, quando 56 homens assinaram um documento que destruiu as minhas chances de controlar a nação. Você conhece esse documento como "A Declaração da Independência". Não tivesse sido pela influência desse maldito documento, eu teria neste momento um ditador governando o país. E aí eu poderia parar com essa coisa de direito de livre discurso e pensamento independente, atributos que estão ameaçando o meu comando sobre o planeta Terra.

P – Pelo que estou entendendo e pelo que você diz, as nações que são controladas por ditadores que se autoelegeram pertencem ao seu campo?

R – Não existem ditadores autoescolhidos. Elejo e escolho a todos. Além disso, eu os manipulo e os direciono em seus trabalhos. Meus ditadores sabem o que eles querem e tomam o poder pela força. Olhe o que fiz por meio do Mussolini na Itália, olhe o que estou fazendo por meio de Hitler na Alemanha. Olhe o que estou fazendo por meio de Stalin na Rússia. Meus ditadores governam essas nações para mim porque as pessoas foram subjugadas pelo hábito da alienação. Meus ditadores não se alienam. E esse é o motivo pelo qual eles governam para mim milhões de pessoas e as mantêm sob seu controle.

P – O que aconteceria se Mussolini, Stalin e Hitler se tornassem traidores e desobedecessem a você e à sua regra?

R – Isso não acontecerá porque eu os tenho à custa de uma propina bem paga. Estou pagando cada um deles com a medida de suas vaidades, fazendo com que eles acreditem que as suas ações são próprias. Isso é um truque meu.

P – Vamos voltar aos Estados Unidos e aprender alguma coisa do que você está fazendo para converter as pessoas ao hábito da alienação.

R – Exatamente agora, estou pavimentando a estrada para um regime ditatorial, semeando as sementes do medo e da incerteza nas mentes das pessoas.

P – Por meio de quem você está realizando seu trabalho?

R – Principalmente por meio do presidente (Franklin D. Roosevelt). Estou destruindo a sua influência com as pessoas, fazendo com que ele se aliene na questão de trabalhar um acordo entre empregadores e seus empregados. Se eu conseguir induzi-lo a alienar-se por mais um ano, ele será tão fortemente desacreditado que eu poderei entregar o país a um ditador. Se o presidente continuar a alienar-se, eu paralisarei a liberdade pessoal nos Estados Unidos, do mesmo jeito que eu destruí na Espanha, na Itália, na Alemanha e na Inglaterra.

P – O que você está dizendo leva-me a uma conclusão de que se alienar é uma fraqueza que inevitavelmente acaba em fracasso, seja por indivíduos, seja por nações. É isso que você prega?

R – Alienar-se é a causa mais comum de fracasso em qualquer momento da vida. Consigo controlar qualquer um que eu possa induzir a formar o hábito da alienação, seja qual for a área de atuação. As razões para isso são duas. Primeira: o alienado fica tão vulnerável que consigo moldá-lo com as minhas próprias mãos e dar a forma que eu escolher a ele. Isso tudo porque a alienação destrói o poder da iniciativa individual. Segunda: o alienado não consegue buscar ajuda da minha oposição, porque a oposição não é atraída por nada que seja leve e inútil.

P – É por isso que poucas pessoas são ricas, enquanto a maioria das pessoas é pobre?

R – É essa exatamente a razão. A pobreza, tal como a doença, é contagiosa. Você sempre vai encontrar a pobreza entre os alienados, nunca entre aqueles que sabem o que querem e estão determinados a conseguir! Talvez possa significar alguma coisa para você quando chamo a sua atenção para o fato de que aqueles que nunca se alienam, que são os mesmos que eu não controlo, são aqueles que têm as maiores riquezas deste mundo. Eles acabam sendo as mesmas pessoas, as que não se alienam, que não controlo e acabam tornando-se ricas, muito ricas.

P – Sempre entendi que o dinheiro era a raiz de todo mal, que os pobres e desafortunados herdariam o céu, enquanto os ricos inevitavelmente acabariam em suas mãos. O que você tem a dizer dessa crença?

R – Os homens que sabem como conseguir as coisas materiais desta vida geralmente sabem também como manter-se longe do alcance das mãos do Diabo. A habilidade de adquirir coisas é contagiosa. Os alienados adquirem nada, exceto aquilo que ninguém quer. Se mais pessoas tivessem metas definidas e desejos ardentes por riquezas materiais e espirituais, eu teria menos vítimas.

P – Presumo, pelo que você diz, que você não é parceiro dos principais líderes industriais. Evidentemente, eles não são seus amigos.

R – Amigos meus? Eu lhe direi que tipo de amigos eles são. Eles ligaram todo o país com boas estradas, trazendo assim certa comunhão entre as pessoas da cidade e do campo. Converteram minérios em aço com os quais construíram os esqueletos de grandes arranha-céus. Proveram energia elétrica e extraíram dela milhares de usos. Tudo isso deu mais tempo para o homem pensar. Eles proveram também, por meio da fabricação do automóvel, o acesso das pessoas mais humildes e deram a todos a liberdade de viajar. Esses líderes também proveram cada casa com notícias ao vivo, mostrando acontecimentos de todas as partes do mundo por meio do rádio. Espalharam bibliotecas em todas as cidades e as preencheram com livros, possibilitando a todos o acesso a uma noção completa dos principais conhecimentos adquiridos até o momento. Eles deram aos cidadãos mais humildes o direito de expressar suas próprias opiniões sobre qualquer assunto, a qualquer hora, em qualquer lugar, sem medo de serem molestados. Também trabalharam para que cada cidadão pudesse ajudar a fazer as suas próprias leis, escolher os seus próprios impostos e pudesse administrar o seu próprio país por meio das eleições diretas. Essas foram algumas das coisas que os líderes industriais fizeram para dar a cada cidadão o privilégio de tornar-se um não alienado. Você acha que esses homens ajudaram na minha causa?

P – Quem são alguns dos não alienados nos dias de hoje sobre os quais você não tem controle?

R – Não tenho controle sobre nenhum não alienado, seja nos dias de hoje, seja no passado. Controlo os fracos, não aqueles que pensam por si mesmos.

P – Vá em frente e descreva um típico alienado. Dê a sua descrição ponto a ponto, de forma que eu possa reconhecer um alienado quando estiver próximo de um.

R – A primeira coisa que você notará em um alienado é a sua total falta de propósito sobre a vida.

A sua falta de autoconfiança será evidente.

Ele nunca conquistará nada por meio do pensamento e do esforço. Ele gasta tudo o que ganha e gasta ainda mais se consegue crédito.

Ele ficará doente ou debilitado por alguma causa real ou imaginária, e clamará aos céus ao sofrer a menor dor física.

Ele terá pouca ou nenhuma imaginação.

Ele não terá entusiasmo nem iniciativa para começar qualquer coisa que não seja forçado a fazer e expressará claramente a sua fraqueza pegando o atalho de tudo que puder.

Ele terá um temperamento explosivo e total falta de controle sobre suas emoções.

A sua personalidade será sem magnetismo e não atrairá nenhuma pessoa à sua volta.

Ele terá muitas opiniões sobre muitas coisas, mas nenhum tipo de conhecimento apurado sobre nada.

Ele normalmente diz saber tudo de tudo, mas não é bom em nada.

Ele se negará a cooperar com aqueles que estão à sua volta, mesmo aqueles que possam depender de seu trabalho para comida e abrigo.

Ele cometerá os mesmos erros, várias e várias vezes, nunca tirando proveito do fracasso.

Ele terá uma mente limitada e intolerante em todos os aspectos, sempre pronto a crucificar todos aqueles que estiverem em desacordo com ele.

Ele esperará tudo dos outros, mas estará disposto a dar pouco, ou nada, em troca.

Ele começa várias coisas, mas não termina nada.

Ele será taxativo na condenação do seu governo, mas ele nunca lhe dirá definitivamente como a gestão pode ser melhorada.

Ele nunca tomará decisões sobre nada, se puder evitá-las, e, se for forçado a decidir, tem grande possibilidade de que ele reverta suas decisões na primeira oportunidade.

Ele comerá muito e se exercitará muito pouco.

Ele beberá bebida alcoólica, se alguém pagar para ele. Ele apostará muito.

Ele criticará outros que estiverem sendo bem-sucedidos em suas carreiras.

Em poucas palavras, o alienado trabalhará duro para não pensar, enquanto outros trabalharão para ter uma boa vida.

Ele contará uma mentira, antes de admitir sua ignorância em qualquer assunto.

Se ele trabalhar para outros, ele os criticará pelas suas costas e os elogiará na sua frente.

P – Você acabou de me dar uma descrição gráfica do alienado. Por favor, me dê uma descrição do não alienado de forma que eu possa reconhecê-lo logo de cara.

R – O primeiro sinal de um não alienado é este:

Ele está sempre engajado em fazer algo definido, por meio de algum plano muito bem organizado e detalhado, o qual também é definido.

Ele tem um objetivo maior na vida, no qual ele está sempre trabalhando, e muitos outros menores objetivos – todos os quais o levam ao seu esquema estratégico central.

O tom da sua voz, a rapidez do seu passo, o brilho dos seus olhos, a rapidez de suas decisões claramente marcam-no como uma pessoa que sabe exatamente o que quer e está determinada a consegui-lo, não importa quanto tempo possa levar ou o preço que tenha que pagar.

Se você fizer questionamentos a ele, ele lhe dará respostas diretas e nunca cairá em contradições nem evasões ou subterfúgios, seja qual for o assunto.

Ele fará muitos favores a outros, mas quase não aceita favores em troca.

Ele sempre será achado de frente para o campo de batalha, não importa se for jogando um jogo ou lutando uma guerra.

Se ele não souber as respostas, ele dirá francamente que não sabe. Ele tem uma ótima memória.

Ele nunca oferece um álibi para suas deficiências.

Ele nunca culpa os outros por seus erros, mesmo que eles mereçam.

Ele costumava ser conhecido como um guerreiro, mas em tempos modernos é chamado de Midas.

Você o encontrará administrando o maior negócio da cidade, morando na melhor rua, dirigindo o melhor automóvel e fazendo sua presença ser sentida onde quer que ele esteja.

Ele é uma inspiração para todos aqueles que entram em contato com sua mente.

A característica mais marcante que distingue um não alienado é esta: ele tem uma mente totalmente sua e a usa para alcançar todos os seus objetivos.

P – Por acaso o não alienado nasce com algum tipo de vantagem mental, física ou espiritual, que não seja disponível para o alienado?

R – Não. A maior diferença entre o alienado e o não alienado é algo igualmente disponível para ambos. É simplesmente a prerrogativa certa de cada um usar a própria mente e pensar por si mesmo.

P – Que tipo de mensagem curta você mandaria para um típico alienado se você por algum acaso desejar curá-lo desse hábito diabólico?

R – Eu o aconselharia a acordar e dar.

P – Dar o quê?

R – Alguma forma de serviço útil para o máximo possível de pessoas.

P – Então o não alienado supostamente deve dar?

R – Sim, isso é o que é esperado dele e ele deve dar antes de receber.

P – Algumas pessoas duvidam da sua existência.

R – Eu não me preocuparia com isso se fosse você. Aqueles que estão prontos para serem convertidos do hábito de alienar-se reconhecerão a autenticidade desta entrevista pela qualidade dos conselhos que estou dando. Os outros eu não perderia tempo em tentar convertê-los.

P – Por que você não tenta me dissuadir e fazer com que eu pare a publicação desta confissão que estou arrancando de você?

R – Porque esta seria a maneira mais certa para garantir a sua publicação. Tenho um plano melhor do que tentar suprimir a publicação desta confissão. Apressarei você para ir em frente e então sentarei e lhe assistirei sofrer quando alguns dos meus alienados de fé começarem a tornar a sua vida difícil. Eu não precisarei negar a sua história. Os meus seguidores farão isso por mim. Aguarde e verá.

CAPÍTULO CINCO

A CONFISSÃO CONTINUA

P – Se esta sua confissão parasse exatamente aqui, todas as suas afirmações seriam perfeitas, mas, felizmente para milhões de suas vítimas que ganharão a liberdade devido à sua confissão, esta entrevista continuará até que você tenha me fornecido a arma que eventualmente ajudará milhões de pessoas a combaterem a sua dominação por meio dos seus medos e superstições. Lembre-se, Sua Majestade, a sua confissão recém começou. Depois que eu arrancar de você uma descrição completa de todos os métodos pelos quais você controla as pessoas, eu o forçarei também a dar a fórmula pela qual o seu controle poderá ser quebrado por vontade própria. É verdade que não estarei aqui tempo suficiente para derrotá-lo, mas as palavras publicadas que deixarei serão imortais porque elas contêm a verdade! Você não teme a oposição de nenhum indivíduo, pois sabe que será por um breve período de tempo, mas teme a verdade. Você tem medo da verdade e nada mais, pois a verdade lentamente, mas de forma definitiva, vai dar aos seres humanos a liberdade de todos os tipos de medo. Sem a arma do medo você seria inofensivo e completamente incapaz de controlar qualquer ser humano! Isso é verdadeiro ou falso?

R – Não tenho alternativa senão admitir que o que você disse é verdade.

P – Agora que nos entendemos, vamos em frente com a sua confissão. Mas, antes de nós continuarmos, aproveitarei o tempo para tirar uma dúvida muito pessoal minha. Eu lhe farei apenas uma pergunta, e a resposta me trará toda a satisfação que eu quero. Não é verdade que

você controla somente as mentes daqueles que se permitiram cair no hábito da alienação?

R – Sim, é verdade. Eu já admiti essa verdade uma dúzia ou mais de vezes. Por que você me perturba tanto repetindo essa mesma questão?

P – Há poder na repetição. Eu estou forçando você a repetir os pontos principais da sua confissão de muitos modos diferentes e tantos quantos possíveis, de tal forma que as suas vítimas possam ler esta entrevista e determinar a sua profundidade pelas suas próprias experiências com você. Esse é um dos meus pequenos truques. Você aprova o meu método?

R – Você não poderia estar preparando uma armadilha para mim com o objetivo de conseguir algo mais poderoso. Ou poderia?

P – Estou fazendo as perguntas e você está respondendo. Vá em frente agora e confesse por que você não tem poderes suficientes para me parar de fazê-lo confessar. Quero a sua confissão para ajudar e confortar todas as suas vítimas, as quais intenciono libertar do seu controle no exato momento em que elas lerem a sua confissão.

R – Estou sem poderes para influenciar ou controlar você, simplesmente porque você encontrou o principal segredo para o meu reino. Você sabe que existo somente nas mentes das pessoas que têm medos. Você sabe que controlo somente os alienados, que se negam a usar as suas próprias mentes. Você sabe que o meu Inferno é aqui mesmo na Terra, e não no mundo que vem após a morte. E você também sabe que os alienados fornecem todo o fogo que eu uso no meu Inferno. Você sabe que sou um princípio ou forma de energia que expressa o lado negativo da matéria ou da energia, e que não sou uma pessoa com um garfo e um rabo pontudo. Você tornou-se o meu mestre porque superou todos os seus medos. Por último, você sabe que pode liberar todas as vítimas humanas que contatar, e esse conhecimento definido é que fará o maior estrago na minha estratégia de dominação. Não consigo controlá-lo porque você descobriu a sua própria mente e assumiu o controle dela.

Até aí, Sr. Humano, esta confissão deverá alimentar a sua vaidade, até um ponto crítico.

P – Este último dardo foi desnecessário. O tipo de conhecimento que utilizei para superar você não se autocontamina com a indulgência vulgar da vaidade. A verdade, sim, esta é a única coisa no mundo que consegue manter-se acima de qualquer coisa. Agora vamos continuar com a sua confissão. O que há de errado com o princípio da bajulação? Você o usa ou não?

R – Se eu uso? Obviamente! A bajulação é uma das minhas armas mais úteis. Com esse instrumento mortal eu fisgo os peixes grandes e os pequenos.

P – A sua admissão me interessa. Vá em frente agora e me conte como você faz uso da bajulação.

R – Eu faço uso dela de tantas formas que é difícil saber por onde começar. Estou avisando, antes de eu responder em detalhes, que, se você publicar as minhas respostas, você trará para si mesmo uma avalanche de ridicularidades na sua própria cabeça.

P – Eu assumirei a responsabilidade. Prossiga.

R – Bem, devo admitir aqui que você encontrou o maior segredo de como converto as pessoas para o hábito da alienação.

P – Essa é uma admissão considerável. Vá em frente com a sua confissão e não desvie do assunto da bajulação. Sem mais conversas colaterais e sem mais enrolações neste momento, me conte tudo sobre como você usa a bajulação para ganhar o controle sobre as pessoas.

R – A bajulação é uma isca de valor incomparável a todos aqueles que desejam ganhar o controle sobre as outras pessoas. Ela carrega em si qualidades atrativas para outras pessoas porque opera por meio de duas das mais comuns das fraquezas humanas: a vaidade e o egocentrismo. Há certa quantia de vaidade e egocentrismo em todas as pessoas. Em algumas pessoas, essas qualidades são tão salientes que elas literalmente servem como uma corda pela qual alguém pode amarrar-se. A melhor de todas as cordas é a bajulação. A bajulação é a isca-chave pela qual homens seduzem mulheres. Algumas vezes, na verdade, frequentemente, mulheres usam a mesma isca para ganhar o controle dos homens, especialmente os homens que não são dominados pelo apelo sexual. Ensino o seu uso tanto para os homens quanto para as mulheres. A bajulação é também a principal isca com que os meus agentes ganham a confiança das pessoas de quem eles procuram as informações necessárias para prosseguir na sua missão.

Onde quer que alguém pare para alimentar a sua vaidade pela bajulação, lá estou eu colocando o primeiro tijolo para construir mais um alienado. Não alienados não são facilmente alvos da bajulação. Inspiro pessoas a usarem a bajulação em todas as relações humanas onde seu uso é possível, porque todos aqueles que são influenciados pela bajulação tornam-se vítimas fáceis do hábito da alienação.

P – Você consegue controlar qualquer um que seja suscetível à bajulação?

R – Muito facilmente. Como eu já disse, a bajulação é de grande importância em tornar as pessoas presas fáceis ao hábito da alienação.

P – Com que idade as pessoas são mais suscetíveis à bajulação?

R – Idade não tem nada a ver com a susceptibilidade à bajulação. As pessoas respondem a ela de uma forma ou outra a partir do momento em que elas se tornam conscientes de sua própria existência até a sua morte.

P – Por meio de que forma as mulheres podem ser facilmente bajuladas?

R – Por meio da sua vaidade. Diga a uma mulher que ela está bonita ou que ela se arruma fantasticamente bem.

P – Qual a forma mais efetiva de fisgar os homens?

R – Egocentrismo, com E maiúsculo. Diga a um homem que ele tem um corpo forte como Hércules ou que ele é um grande homem de negócios e ele perderá totalmente a faculdade da razão e ficará dominado por um sentimento egocêntrico. Depois disso, você sabe o que acontece.

P – Todos os homens são assim?

R – Não. Dois, a cada cem homens, têm o seu ego tão sob controle que mesmo um bajulador profissional não conseguiria perfurar a sua pele mesmo com uma faca de açougueiro.

P – Como uma mulher esperta consegue aplicar a arte da bajulação no momento de atrair os homens?

R – Pelo amor de Deus, homem! Tenho que desenhar o método dela para você? Você não tem imaginação?

P – Ah sim, tenho imaginação suficiente, Sua Majestade, mas estou pensando naqueles pobres homens do mundo que precisam entender a técnica exata com que eles podem ser bajulados para caírem no hábito da alienação. Vá em frente e conte-nos como uma mulher pode fisgar homens ricos e espertos.

R – Este é um truque diabólico das mulheres, mas, considerando que você está pedindo a informação, neste momento não tenho escolha senão revelá-lo. As mulheres influenciam os homens por meio de uma técnica que consiste basicamente em, primeiro, na habilidade de forjar um tom de voz suave e quase infantil; segundo, na habilidade de fechar seus olhos em uma posição semicerrada, hipnotizando os homens.

P – Isso é tudo o que há no mundo da bajulação?

R – Não, essa é apenas a técnica. Aí vem a razão pela qual uma mulher usa essa técnica como uma isca. O tipo de mulher que você talvez tenha em mente nunca se vende a um homem e muito menos lhe dá algo em troca. Em vez disso, ela vende a ele o seu próprio egocentrismo.

P – Isso é tudo o que as mulheres usam quando elas desejam bajular os homens?

R – Essa é a coisa mais eficaz que elas podem usar. Isso funciona muito bem quando o apelo sexual fica em segundo plano.

P – Isso me leva a acreditar então que homens grandes, fortes e espertos podem acabar sendo manipulados pelo uso da bajulação, da mesma maneira como se fossem criaturas vulneráveis. Isso é possível?

R – Se isso é possível? Isso está acontecendo exatamente agora, neste minuto. Além disso, ao menos que eles sejam não alienados, quanto mais sedentos eles vêm, tanto mais forte a sua queda quando uma bajuladora profissional usa a sua tática com eles.

P – Conte mais alguns dos seus truques com os quais você faz com que as pessoas se alienem na vida.

R – Um dos meus mais efetivos instrumentos é o fracasso. A maioria das pessoas começa a se alienar tão logo elas encontram a adversidade, e raramente uma a cada dez mil permanecerá tentando após fracassar duas ou três vezes.

P – Então é o seu negócio induzir as pessoas a fracassarem sempre que você pode. Isso está correto?

R – Sim, isso está correto. O fracasso acaba com o moral, destrói a autoconfiança, liquida com o entusiasmo, enfraquece a imaginação e afasta qualquer tipo de propósito definido. Sem essas qualidades ninguém consegue permanentemente manter o sucesso em qualquer empreitada. O mundo produziu milhares de inventores com habilidades superiores àquelas de Thomas A. Edison, mas desses homens ninguém nunca ouviu falar, enquanto o nome de Edison se eternizará. Isso porque Edison converteu o fracasso em um trampolim para alcançar grandes resultados, enquanto os outros utilizaram o fracasso como um álibi para não produzir resultados.

P – A capacidade para superar o fracasso sem desencorajar-se por acaso é um dos grandes ativos de Henry Ford?

R – Sim, e essa mesma qualidade é o verdadeiro ativo de todos os homens que alcançam sucessos fabulosos em quaisquer aspectos de suas vidas.

P – Essa afirmação é muito generalista, Sua Majestade. Você não desejaria modificá-la ou reduzi-la um pouco para ter mais precisão?

R – Nenhuma modificação é necessária, porque essa afirmação não é tão vasta. Pesquise com precisão as vidas de homens e mulheres que alcançam sucessos duradouros e você achará, sem exceção, que o sucesso deles ocorreu na exata proporção da extensão do fracasso que eles conseguiram superar. A vida de cada pessoa bem-sucedida clama por uma das maiores verdades que a maior parte dos filósofos já sabia: "Cada fracasso traz junto de si a semente de um sucesso equivalente". Mas a semente não germinará e crescerá sob a influência de um alienado. Ela se abre para a vida somente quando está nas mãos de alguém que reconhece que a maior parte dos fracassos são somente derrotas temporárias, e que nunca, sob nenhuma hipótese, aceita a derrota como uma desculpa para alienar-se.

P – Se estou entendendo corretamente, você está afirmando que existe virtude no fracasso. Isso não me parece razoável. Por que você tenta induzir as pessoas a fracassarem, se há virtude no fracasso?

R – Não há inconsistência nas minhas afirmações. O que parece ser inconsistência na verdade é a sua falta de entendimento. O fracasso é uma virtude somente quando ele não leva uma pessoa a desistir de tentar e começar a alienar-se. Induzo tantas pessoas quantas eu posso a fracassarem e tantas vezes quantas posso pela simples razão de que, raramente, um em cada dez mil permanecerá tentando após cair duas ou três vezes. Não estou preocupado com os poucos que convertem os fracassos em alavancas para o sucesso porque, de qualquer forma, eles pertencem à minha oposição. Eles são não alienados, e por isso estão fora do meu alcance.

P – A sua explicação clareia o assunto. Agora vá em frente e me conte alguns de seus outros truques por meio dos quais você induz as pessoas a se alienarem.

R – Outro dos meus mais efetivos truques é conhecido para você como propaganda. Esse é o instrumento de maior valor para mim ao fazer com que pessoas matem umas às outras sob o disfarce da guerra. A esperteza desse truque consiste basicamente pela sutileza com a qual eu o uso. Misturo propaganda com notícias do mundo. Ensino isso em escolas públicas ou privadas. Vejo que a propaganda sempre acha o seu caminho no púlpito. Coloco cor nos filmes animados com ela. Faço com que ela entre em cada casa onde tenha um rádio ligado. Faço com que ela esteja nos quadros-negros, jornais e programas de rádio. Eu a espalho em todos os lugares onde as pessoas trabalham e fazem negócios. Uso a propaganda para encher as salas dos tribunais das varas de família, principalmente quando se trata de divórcio. Também faço com que a propaganda sirva para destruir os negócios e a indústria. Na verdade, a propaganda é o meu principal instrumento para iniciar as corridas aos bancos. Meus propagandistas cobrem o mundo de forma tão eficaz e tão completa que consigo iniciar epidemias de doenças, incitar os líderes para a guerra ou fazer com que os negócios entrem em pânico sem ninguém saber por que nem onde começou.

P – Se você consegue fazer tudo que você diz conseguir fazer com a propaganda, não é difícil de imaginar por que temos tantas guerras e crises econômicas. Dê-me uma descrição simples do que você quer dizer com o termo "propaganda". Apenas diga o que é e como ela trabalha. Desejo saber particularmente como você faz com que as pessoas se alienem por meio do uso desse instrumento diabólico.

R – Propaganda é qualquer instrumento, plano ou método pelo qual as pessoas podem ser influenciadas sem saber que estão sendo influenciadas, ou até mesmo a fonte dessa influência. Propaganda é usada nos negócios com o principal objetivo de desencorajar a concorrência. Empregadores a usam para ganhar vantagem sobre seus empregados. Os empregados retalham usando a propaganda para ganhar vantagem sobre os seus empregadores. Na verdade, ela é usada tão universalmente e por meio de uma técnica tão bonita e delicada que mesmo quando é detectada ela parece inofensiva.

P – Eu suponho que alguns de seus garotos neste exato momento estão engajados em preparar as mentes dos americanos para se alienarem para aceitar alguma forma de ditadura. Conte-me como eles trabalham.

R – Sim! Milhões de meus garotos estão preparando os americanos para se tornarem "hitlerizados". Meus melhores garotos estão trabalhando por meio da política e da organização dos trabalhadores. Nós temos a intenção de assumir o país por meio de eleições, em vez de armas. Os americanos são tão sensíveis que eles jamais aceitariam o choque de ver a sua forma de governo modificada com a ajuda de armas ou tanques de guerra. Então, os nossos garotos da propaganda estão servindo a eles uma dieta que eles engolirão, preparando uma luta entre empregadores e empregados e fazendo com que o governo se volte contra a indústria e o comércio. Quando a propaganda tiver feito o seu trabalho por completo, um dos meus garotos servirá como um ditador, e os nove velhos da sua Suprema Corte, com suas tolas noções da Constituição, partirão! Todos terão um emprego ou serão alimentados a partir dos cofres do governo. Quando as barrigas dos homens estão cheias, eles alienam-se livremente com aqueles que lhes dão o que comer. Homens famintos saem do controle.

P – Me pergunto quem inventou o sábio truque que você chama de propaganda. Baseado no que você me contou sobre a sua fonte e a natureza da propaganda, entendo por que ela é tão letal. Somente alguém tão esperto quanto a Sua Majestade poderia ter inventado tal instrumento que ferisse a razão, destronasse a vontade própria e seduzisse homens para o hábito da alienação. Por que você não usa o poder da propaganda para ganhar controle das suas vítimas em vez de subjugá-las pelo medo e aniquilá-las por meio da guerra?

R – O que é o medo do Diabo senão propaganda? Você não observou a minha técnica cuidadosamente, ou teria visto que sou o maior propagandista do mundo. Nunca alcanço um fim por meios diretos, se porventura posso alcançar esse mesmo fim por modos sutis e evasivos. O que você supõe que eu esteja usando quando planto ideias negativas nas mentes dos homens e ganho o controle sobre eles por meio do que eles acreditam ser suas próprias ideias? Como você chamaria isso a não ser a mais sábia de todas as formas de propaganda?

P – Por certo você não vai me contar que destrói as pessoas com sua própria ajuda sem elas notarem o que você está fazendo?

R – Isso é exatamente o que desejo que você entenda. Além disso, mostrarei a você exatamente como esse truque é realizado.

P – Agora nós estamos chegando a algum lugar. Como exatamente você converte seres humanos em propagandistas e os seduz a se autoaprisionarem? Conte-me essa história com todos os detalhes sórdidos. Essa é a parte mais importante da sua confissão, e estou muito ansioso para ganhar o controle do seu segredo. Ao mesmo tempo, não posso culpá-lo por tentar me enrolar nessa resposta, porque ambos sabemos que ela fará com que milhões de vítimas inocentes do seu controle passem a pensar e consequentemente fiquem fora do seu alcance. Você também sabe que a sua resposta protegerá outros incontáveis milhões de seres humanos que ainda não nasceram.

R – As suas deduções estão corretas. Essa parte da minha confissão me fará mais estragos do que todo o resto que eu farei.

P – Para entender o seu problema de uma maneira melhor, podemos dizer que essa parte da sua confissão salvará milhões de pessoas do seu controle.

R – Tudo o que eu posso dizer é que você me colocou numa situação infernal!

P – Agora você deve saber como milhões de suas vítimas se sentem. Vamos em frente.

R – Faço a minha primeira entrada na mente de um indivíduo subornando-o.

P – O que você usa como um suborno?

R – Uso muitas coisas, todas elas coisas prazerosas que os indivíduos cobiçam. Uso o mesmo tipo de propinas que indivíduos usam quando subornam um ao outro, isto é, uso como suborno as coisas que a maioria das pessoas quer. Minhas melhores propinas são amor, sexo, ganância pelo dinheiro, desejo obsessivo de ganhar alguma coisa por nada (jogos de azar), vaidade nas mulheres e egocentrismo nos homens, desejo de ser mestres dos outros, desejo por tóxicos e narcóticos, desejo pela autoexpressão por meio de palavras e atos, desejo de imitar outros, desejo pela perpetuação da vida após a morte, desejo de ser um herói ou uma heroína, desejo por alimento físico.

P – Essa é uma lista muito interessante de subornos, Sua Majestade. Você usa outros?

R – Sim, muitos outros, mas esses são meus favoritos. Por meio da combinação de alguns deles consigo entrar na mente de qualquer ser humano, independentemente da idade, e consigo permanecer em possessão da sua mente até a sua morte.

P – Isso significa que esses subornos são as chaves pelas quais você consegue silenciosamente destrancar a porta de entrada de qualquer mente que você escolher?

R – É exatamente isso que eu quero dizer. E é exatamente isso que eu posso fazer.

P – O que acontece quando você entra na mente de uma pessoa que ainda não está no hábito da alienação, mas pertence à classe dos 98% dos seres humanos que são alienados em potencial?

R – Trabalho imediatamente para ocupar o máximo que eu conseguir da mente dessa pessoa. Se a maior fraqueza desse indivíduo é o desejo por dinheiro, começo a jogar moedas na frente dele, claro, falando em sentido figurado. Intensifico o seu desejo e o induzo a perseguir o dinheiro com todas as suas forças, então, quando ele chega perto do momento de abocanhar o dinheiro, eu simplesmente tiro-o da sua frente. Esse é um velho truque meu. Depois de esse truque ter sido repetido algumas vezes, o pobre infeliz desiste e se entrega. Aí então eu tomo conta de um pouco mais de espaço da sua mente e acabo por preenchê-lo com o medo da pobreza. Esse é um dos melhores preenchedores de mente que eu tenho.

P – Sim, admito que o seu método é muito inteligente, mas o que acontece se a vítima por acaso enganar você e conseguir pôr as suas mãos em um monte de dinheiro? Você não consegue preencher a sua mente com o medo da pobreza, consegue?

R – Não, não consigo. Ocupo o espaço preenchendo a sua mente com alguma coisa que sirva ao meu objetivo da mesma maneira. Se a minha vítima conseguir alcançar e for bem-sucedida no seu desejo por dinheiro, muito dinheiro, começo a induzi-la com todas as coisas que ela pode comprar com o dinheiro. Por exemplo, faço com que ela consuma alimentos altamente calóricos. Isso reduz a sua capacidade de pensamento, coloca o seu coração em risco e começa um caminho para a alienação. Aí então, além disso, faço com que ela tenha indisposições estomacais e intestinais devido à grande quantidade de comida que ela está ingerindo, e isso também diminui a sua capacidade de pensamento, sem falar na pouca disposição para a vida.

P – Mas e se a vítima não é um glutão? A quais outros vícios você pode induzi-la para levá-la ao hábito da alienação?

R – Se a vítima é um homem, posso geralmente fisgá-lo por meio do apetite por sexo. Autoindulgência em sexo faz mais homens caírem no hábito da alienação e fracassarem do que todas as outras causas combinadas.

P – Quer dizer então que comida e sexo são duas de suas iscas mais certeiras, isso está correto?

R – Sim, com esses dois atrativos posso tomar conta da maioria das minhas vítimas. Junto com essas está o desejo por dinheiro.

P – Eu estou começando a pensar que a riqueza é mais perigosa do que a pobreza, se é que se pode acreditar na sua história.

R – Bem, isso tudo depende de quem tem a riqueza e como ela foi adquirida.

P – O que tem a ver a maneira como o dinheiro foi adquirido com o fato de ele ser uma benção ou uma maldição?

R – Tudo. Se você não acredita em mim, dê uma olhada naqueles que adquirem grandes quantias de dinheiro de forma abrupta, sem tempo suficiente para ganhar sabedoria de como lidar com ele. Tendo feito isso, observe atentamente como eles usam o dinheiro. Por que você supõe que os filhos dos homens ricos raramente conseguem grandes realizações tal como seus pais? Eu lhe contarei por quê. É porque eles foram privados da autodisciplina que vem do fato de ter que se trabalhar pelo dinheiro. Dê também uma olhada no histórico de artistas do cinema ou atletas que num piscar de olhos acham-se rodeados de fortunas e de uma hora para outra são venerados como heróis pelo público. Observe o quão rapidamente eu consigo penetrar as suas mentes principalmente por meio do sexo, dos jogos de azar, da comida e do álcool. Com esses vícios eu consigo pegar e controlar mesmo as maiores e melhores pessoas, tão logo elas colocam as mãos em grandes quantias de dinheiro.

P – E o que você tem a dizer sobre aqueles que adquirem o dinheiro lenta e paulatinamente, prestando alguma forma de serviço útil? Eles também são facilmente pegos?

R – Ah, eu também consigo pegá-los, mas geralmente tenho que mudar a isca. Alguns deles querem uma coisa e outros querem outras coisas. Meu objetivo é mais bem alcançado onde consigo fazê-los querer algo que eles desejam muito, mas embrulho esse pacote como se fosse algo que eles não quisessem. O que eu dou a eles é algo definitivo que os faz alienados. Você entende como eu trabalho?

P – O seu trabalho é muito inteligente. Você atrai as pessoas por meio dos seus desejos naturais e aí então coloca o seu veneno mortal bem no âmago desses desejos, sempre que você pode.

R – Agora você está começando a entender. Como você pode ver, de forma figurada, pode-se dizer que eu coloco o início e o fim contra o meio.

P – De tudo que você diz, pude entender que você não consegue induzir um não alienado a ajudá-lo a ganhar o controle da sua mente com esses seus tipos de subornos. Isso está correto?

R – Isso é exatamente correto. Posso e também me interesso em dar propinas a todos os não alienados, porque uso como suborno as coisas que todas as pessoas naturalmente desejam. A diferença é que o não alienado assemelha-se a um peixe que rouba a isca do anzol, mas recusa-se a ser fisgado. O não alienado tira da vida o que quer que ele queira, mas ele o faz nos seus próprios termos. O alienado tira o que quer que ele consiga da vida, mas tudo que ele tira ele consegue nos meus termos. Por analogia, pode-se dizer, de outra forma, que o não alienado pega dinheiro emprestado de um banco legítimo, se ele realmente quer, e paga uma taxa de juros decente. O alienado dirige-se a um agiota, empenha o seu relógio e paga uma taxa de juros suicida pelo seu empréstimo.

P – Então eu concluo, por todas as suas afirmações, que no final das contas as suas mãos estão de alguma forma ligadas em todas as misérias e problemas das pessoas, mesmo que a sua presença não seja visível?

R – Todos os meus trabalhadores que trabalham contra a vontade são na verdade os meus melhores operários. Como você pode ver, os meus trabalhadores que não são conscientes do trabalho que fazem são todos aqueles que eu não consigo controlar com alguma combinação de propinas, pessoas que tenho que controlar pelo medo ou alguma forma de tragédia. Elas não desejam servir a mim, mas não conseguem evitar, porque elas estão eternamente ligadas a mim pelo hábito da alienação.

P – Agora estou começando a entender melhor a sua técnica. Você suborna suas vítimas por meio dos seus desejos naturais e as leva a se alienarem se elas responderem aos seus atrativos. Se elas se recusarem a responder, você planta a semente do medo nas suas mentes ou prepara armadilhas para elas com algum tipo de infortúnio, atando-as enquanto elas estão no auge da depressão. Esse é o seu método?

R – É exatamente assim que eu trabalho. Muito esperto, você não acha?

P – Quem você prefere que sirva como seu propagandista – os jovens ou os velhos?

R – Os jovens, é claro! Porque eles podem ser influenciados pela grande maioria dos meus atrativos muito mais facilmente que as pessoas com mais idade, que já têm um julgamento mais maduro. Além disso, eles vão permanecer mais tempo a meu serviço no planeta.

P – Sua Majestade me deu uma clara descrição do que é a alienação. Agora, me diga, o que deve ser feito para assegurar-se contra o hábito da alienação? Eu quero uma fórmula completa que qualquer um possa usar.

R – A proteção contra a alienação encontra-se facilmente dentro de cada ser humano que tem um corpo normal e uma mente afiada. A autodefesa pode ser aplicada por meio destes simples métodos:

Pense por si mesmo em todas as ocasiões. Pelo fato de que aos seres humanos não é dado o controle completo sobre nada, pensar os próprios pensamentos é algo muito significativo.

Decida definitivamente o que você quer da vida; então crie um plano de ação para alcançá-lo e esteja disposto a sacrificar tudo o mais, se necessário, antes de aceitar uma derrota permanente.

Analise as derrotas temporárias, não importando de qual natureza ou causa, e extraia dessa derrota a semente de uma vantagem equivalente.

Esteja disposto a prestar um serviço útil equivalente ao valor de todas as coisas materiais que você demanda da vida, e não esqueça que você deve prestar o serviço primeiro, para depois receber o valor equivalente.

Reconheça que o seu cérebro é um aparelho receptor que pode ser sintonizado para receber comunicações da central universal de Inteligência Infinita, para ajudá-lo a transformar os seus desejos no equivalente físico.

Reconheça que o seu grande ativo é o tempo. É a única coisa, com exceção do poder do pensamento, que você também tem nas mãos e é a única coisa que pode ser transformada em coisas materiais que sejam do seu desejo. Organize seu tempo de tal forma que nada dele seja desperdiçado.

Reconheça a verdade de que o medo geralmente é um preenchedor de espaço que o Diabo utiliza para ocupar a porção disponível da sua mente. Ele é somente um estado de espírito, que você pode controlar preenchendo o mesmo espaço que ele ocuparia com a fé inabalável na sua capacidade de fazer a vida fornecer o que quer que você queira dela.

Quando rezar, não implore. Peça o que você quer e insista exatamente nisso, sem substitutos.

Reconheça que a vida é um mestre cruel que, ou você o controla, ou ele controla você. Não há meio-termo. Nunca aceite da vida qualquer coisa que você não queira. Se aquilo que você não quer temporariamente vem à força para você, você pode recusar-se a aceitá-lo na sua mente. E isso abrirá espaço para você trazer as coisas que você realmente quer.

Por último, lembre-se de que seus pensamentos dominantes atraem, por meio de uma lei definitiva da natureza, pela rota mais conveniente e curta, a sua contrapartida física. Seja extremamente cuidadoso com o foco dos seus pensamentos.

P – Essa lista me parece muito impositiva. Dê-me uma simples forma combinando todos os dez pontos que você mencionou. Se você tivesse que combinar todos os dez pontos em somente um, qual deles seria?

R – Seja definido em tudo que você fizer e nunca deixe pensamentos não acabados na mente. Forme o hábito de alcançar decisões definidas em todos os assuntos e áreas de sua vida.

P – Pode o hábito da alienação ser quebrado? Ou ele se torna permanente uma vez tendo sido formado?

R – O hábito pode ser quebrado se a vítima tiver força de vontade suficiente, considerando-se que leva tempo para conseguir. Existe um ponto de ruptura em que o hábito nunca mais pode ser quebrado. Além desse ponto, a vítima torna-se minha. Ela se parece com uma mosca que foi pega numa teia de aranha. Ela pode lutar, mas não consegue desvencilhar-se. Cada movimento que ela faz a torna mais enredada. A teia na qual enredo as minhas vítimas permanentemente, na verdade, é uma lei da natureza que ainda não foi nem entendida, nem estudada pelos homens de ciência.

CAPÍTULO SEIS

RITMO HIPNÓTICO

P – Que lei misteriosa é essa pela qual você toma controle permanente dos corpos das pessoas mesmo antes de possuir as suas almas? O mundo inteiro vai querer saber mais sobre essa lei e como ela funciona.

R – Não será fácil descrever essa lei para você de tal forma que você possa entendê-la facilmente, mas você pode chamá-la "Ritmo Hipnótico". É a mesma lei pela qual as pessoas podem ser hipnotizadas.

P – Então você tem o poder de usar as leis da natureza como uma teia na qual você mantém as suas vítimas em eterno controle, é isso que afirma?

R – Isso não é somente o que eu afirmo. Isso é a verdade. Assumo o controle de suas mentes e seus corpos, mesmo antes de eles morrerem, sempre que consigo atraí-las ou assustá-las por meio do ritmo hipnótico.

P – O que é o Ritmo Hipnótico? Como você o utiliza para ganhar a maestria permanente sobre os seres humanos?

R – Terei que voltar no tempo e no espaço e dar a você uma breve descrição elementar de como a natureza usa o ritmo hipnótico. De outra forma, você não será capaz de entender a minha descrição de como uso essa lei universal para controlar seres humanos.

P – Vá em frente, mas mantenha a sua história focada em conceitos simples, os quais eu consiga, com minha própria experiência e conhecimento, aplicar às leis naturais conhecidas.

R – Muito bem, farei o meu melhor. Você, é claro, sabe que a natureza mantém um balanço perfeito entre todos os elementos e toda a energia no universo. Você pode ver que as estrelas e os planetas se movem com uma precisão perfeita, cada qual respeitando o seu próprio lugar no tempo e no espaço. Você pode ver que as estações do ano vêm e vão com uma regularidade perfeita. Tire suas próprias conclusões considerando que o carvalho deriva da noz e o pinheiro cresce baseado na semente de seu ancestral. Uma noz nunca produzirá um pinheiro e um pinhão nunca produzirá um carvalho. Essas são coisas simples que qualquer pessoa consegue entender; o que é difícil realmente de se ver é a lei universal por meio da qual a natureza mantém um balanço perfeito por toda a miríade de universos. Vocês, humanos, tiveram consciência de uma fração dessa grande e imutável lei universal quando Newton descobriu que ela mantém a Terra na sua posição exata e faz com que todos os objetos materiais sejam atraídos para o centro dela. Ele chamou isso de Lei da Gravidade. Mas ele não foi longe o suficiente com o estudo dessa lei. Se ele tivesse ido mais longe, teria descoberto que a mesma lei que mantém a Terra na sua posição e ajuda a natureza a manter um balanço perfeito nas quatro dimensões conhecidas – na qual toda a matéria e energia estão contidas – é a rede pela qual eu amarro e controlo as mentes dos seres humanos.

P – Me conte mais sobre essa surpreendente Lei do Ritmo Hipnótico.

R – Conforme já afirmei, há uma forma universal de energia com a qual a natureza mantém um equilíbrio perfeito entre toda a energia e a matéria contida neste universo. Na verdade, a natureza faz uso de maneira muito especializada dessa forma especial de energia, quebrando-a em diferentes comprimentos de onda. O processo de quebrar os comprimentos de onda é feito por meio do **HÁBITO**. Você entenderá melhor o que eu estou tentando dizer se eu fizer uma comparação direta com o método pelo qual alguém aprende a tocar algum tipo de instrumento musical. Primeiro, as notas musicais devem ser memorizadas na mente. Feito isso, elas relacionam-se umas com as outras por meio da melodia e do ritmo. Pelo efeito da repetição, a melodia e o ritmo fixam-se em nossas mentes. Observe atentamente como o músico deve repetir incessantemente uma música antes de ele ter domínio sobre ela. Por meio da repetição, as notas musicais misturam-se, e então você tem música. Qualquer impulso de pensamento que a mente repita mais de uma vez por meio do hábito acaba formando um ritmo organizado. **Hábitos indesejáveis** podem ser quebrados. Eles devem ser quebrados antes de assumir as proporções de tal forma que possam ser considerados um ritmo. Você está conseguindo me acompanhar?

P – Sim.

R – Bem, para continuar, o ritmo é o último estágio do hábito! Qualquer pensamento ou movimento físico que seja repetido uma, duas ou mais vezes, por meio do princípio do hábito, finalmente alcança a proporção do ritmo. Então o hábito, a partir desse momento, não pode ser quebrado, porque a natureza o assume e o transforma em algo permanente. É algo tipo um redemoinho na água. Um objeto pode manter-se flutuando indefinidamente até que ele seja pego por um redemoinho. Nesse caso, ele não tem como escapar, pois a força da água o fará submergir. Dessa forma, pode-se comparar a energia do pensamento das pessoas com a energia da correnteza do redemoinho na água.

P – Então essa é a forma como você controla as mentes das pessoas, é isso?

R – Sim. Como eu já disse algumas vezes, tudo o que tenho que fazer para ganhar o controle de qualquer mente humana é induzir à alienação.

P – Pelo que estou entendendo, então o hábito de alienar-se é o maior risco que as pessoas correm de perder as suas prerrogativas ou os seus privilégios de pensarem seus próprios pensamentos e moldarem os próprios destinos?

R – Isso e muito mais. Alienar-se é também o hábito pelo qual possuo as suas almas após os seres humanos desistirem de seus corpos físicos.

P – Então o único meio de um ser humano ser salvo da aniquilação eterna é mantendo o controle sobre a sua própria mente enquanto ele está no planeta Terra. Isso é verdadeiro?

R – O que você afirmou está perfeitamente correto e é a mais absoluta verdade. Aqueles que controlam e usam as suas mentes escapam da minha rede. Todos os outros acabam em minhas mãos, e isso ocorre tão naturalmente quanto o Sol se põe no Ocidente.

P – Isso é tudo que há para saber sobre ser salvo da aniquilação eterna? Por acaso aquilo que você chama de oposição não tem nada a ver com a salvação das pessoas?

R – Eu posso ver que você realmente pensa de forma profunda. A minha oposição – essa força que vocês humanos chamam de **DEUS** – tem tudo a ver com a salvação das pessoas da aniquilação eterna. E é justamente por essa razão que é a minha oposição que fornece a cada ser humano o privilégio divino de poder usar a sua própria mente. Se você usar essa força para manter controle sobre a própria mente, você acaba se tornando uma parte dela, no momento em que você deixar o corpo físico. Se você por acaso negligenciar o uso da sua mente, aí então eu entro e assumo o privilégio de tomar essa negligência por meio da Lei do Ritmo Hipnótico.

P – O quanto de uma pessoa você toma conta quando você a possui?

R – Tudo o que sobra depois que ela deixa de controlar e usar a sua própria mente.

P – Em outras palavras, quando você ganha o controle de uma pessoa, você toma conta de toda a sua individualidade até o momento em que ela deixa de usar a própria mente? Isso está correto?

R – Essa é a forma como trabalho.

P – O que você faz com as pessoas que você controla antes da morte? O que de útil essas pessoas fazem para você enquanto elas vivem?

R – Eu as uso ou uso o que sobrou delas e, depois que tomo conta de sua mente, essas pessoas tornam-se propagandistas e me ajudam a preparar as mentes de outras pessoas para que entrem no hábito da alienação.

P – Você não apenas engana as pessoas destruindo seus poderes para controlar as suas próprias mentes, mas as usa para ajudá-lo no trabalho de emboscar outras?

R – Sim, não deixo passar nenhuma oportunidade.

P – Vamos voltar para o assunto do ritmo hipnótico. Conte-me mais de como essa lei funciona. Mostre-me como você usa indivíduos para ajudar a ganhar o controle sobre outros. Quero saber algo de tal forma que você me mostre a maneira mais efetiva como você usa o ritmo hipnótico.

R – Ah, isso é fácil! A coisa de que eu mais gosto, na verdade, é preencher as mentes das pessoas com o medo. Uma vez feito isso, não encontro nenhuma dificuldade de fazê-la alienar-se. Depois, ela fica presa na minha rede por meio do ritmo hipnótico.

P – Que tipo de medo humano melhor serve ao seu objetivo?

R – O medo da morte.

P – Por que o medo da morte é sua arma favorita?

R – Porque na verdade ninguém sabe e, de acordo com as leis naturais do universo, ninguém consegue provar definitivamente o que acontece após a morte. Essa incerteza causa arrepios em todas as pessoas. As pessoas que se deixam tomar conta pelo medo – qualquer tipo de medo – recusam-se a usar as suas mentes e começam, nesse momento, a alienar-se. Eventualmente, elas alienam-se no redemoinho do ritmo hipnótico do qual poderão nunca escapar.

P – Então você não se preocupa com que os líderes religiosos pensam ou falam de você quando eles falam da morte?

R – Não, contanto que eles digam alguma coisa. Se as igrejas parassem de falar sobre mim, a minha causa sofreria um grande revés. Todo o ataque feito contra mim, na verdade, aumenta o medo nas mentes de todas as pessoas que são influenciadas por esses líderes. Como você pode ver, a oposição é a coisa que mantém algumas pessoas longe da alienação! Considerando-se que essas pessoas não se deixam dominar pelo medo que provém delas.

P – Você afirma que as igrejas ajudam na sua causa em vez de ajudar as pessoas. Diga-me, o que então o deixa preocupado?

R – A minha única preocupação é que algum dia um real pensador possa aparecer na Terra.

P – O que aconteceria se um pensador aparecesse na Terra?

R – Você me pergunta o que aconteceria? Vou contar-lhe o que aconteceria. As pessoas aprenderiam a maior de todas as verdades – que o tempo que elas passam temendo alguma coisa, se fosse revertido em fé, daria a elas tudo o que elas gostariam de ter do mundo material e também as salvaria de mim, após a sua morte física. Você não acha que isso é algo que vale a pena pensar?

P – Qual o principal obstáculo para aparecer um pensador no mundo?

R – Medo da crítica! Talvez possa interessar a você que o medo da crítica é a única arma eficaz que tenho para lutar contra você. Se você não tivesse medo de publicar esta confissão, após arrancá-la de mim, eu certamente perderia o meu reino na Terra.

P – E se eu o surpreendesse e a publicasse, quanto tempo levaria para você perder o seu reinado?

R – Apenas tempo suficiente para que uma geração de crianças crescesse em entendimento. Você não consegue tirar os adultos de mim. Eles estão muito presos na minha rede. Mas se você publicasse essa confissão já seria o suficiente para manter-me longe do controle daqueles que ainda não nasceram e também daqueles que ainda não alcançaram a idade da razão. Você não ousaria publicar o que eu lhe falei sobre os líderes religiosos. Eles crucificariam você.

P – Pensei que a prática selvagem de crucificação já estivesse fora de moda há mais de dois mil anos.

R – Não quero dizer crucificação literalmente numa cruz. O que quero dizer é que você sofreria uma crucificação social e financeira. A sua renda seria cortada. Você se tornaria uma *persona non grata* nos círculos sociais. Líderes religiosos e seus seguidores tratariam-no com desprezo.

P – Suponho que eu deveria escolher apostar as minhas fichas com os poucos selecionados que fazem uso de suas próprias mentes, em vez de me preocupar com o medo das massas de pessoas que não usam as suas mentes – as massas de pessoas que você clama ter 98%?

R – Se você tiver coragem suficiente para fazer isso, prejudicará o meu estilo.

P – Por que você não fala de nenhum cientista? Não gosta de cientistas?

R – Ah, sim, eu gosto de todas as pessoas, e muito, mas os verdadeiros cientistas estão fora do meu alcance.

P – Por quê?

R – Porque eles pensam por si mesmos e gastam o seu tempo estudando as leis naturais. Eles lidam com fenômenos de causa e efeito, com fatos onde quer que os achem. Mas não cometa o erro de acreditar que cientistas não têm religião. Eles têm uma religião muito bem definida.

P – Qual é a religião deles?

R – A religião da verdade! A religião das leis naturais. Se o mundo algum dia produzir um pensador de muita capacidade com habilidades para desvendar os mais profundos segredos da vida e da morte, você pode ter certeza de que a ciência será responsável por essa catástrofe.

P – Catástrofe para quem?

R – Para mim, é claro!

P – Vamos voltar ao assunto do ritmo hipnótico, eu quero saber mais sobre ele. Ele tem alguma coisa a ver com o princípio pelo qual as pessoas podem hipnotizar umas às outras?

R – É precisamente a mesma coisa, e eu já lhe disse isso. Por que você repete tanto as suas questões?

P – Isso é um velho costume meu, Sua Majestade. Para seu esclarecimento, eu lhe direi que na verdade estou forçando você a repetir muitas de suas afirmações pelo simples fato de dar ênfase. Também estou tentando ver se consigo pegar você em alguma mentira! Não mude o assunto, volte para o ritmo hipnótico e me conte tudo o que você sabe sobre ele. Eu, por acaso, sou uma vítima?

R – Neste momento, não, mas muito pouco faltou para você cair na minha rede. Você se alienou pelo redemoinho do ritmo hipnótico, até o momento em que você descobriu como me forçar a fazer essa confissão. Aí, nesse momento, perdi o controle sobre você.

P – Que interessante. Você não está tentando me recapturar pela bajulação, está?

R – Essa seria a melhor propina que eu poderia oferecer a você. É exatamente o tipo de suborno que usei em você efetivamente antes de você conseguir ser mais esperto do que eu.

P – Com o que exatamente você me seduziu?

R – Com muitas coisas, sendo as principais o sexo e o desejo por autoexpressão.

P – Que efeito as suas propinas tiveram sobre mim?

R – Elas fizeram com que você negligenciasse o seu principal objetivo na vida e fizeram com que você começasse a se alienar.

P – Isso foi tudo que você fez para mim com seus subornos?

R – Isso já é muito.

P – Mas já estou de volta no caminho e fora do seu alcance agora, não estou?

R – Sim, você está temporariamente fora do meu alcance, porque você não está alienado.

P – O que quebrou o seu feitiço sobre mim e me libertou do hábito da alienação?

R – A minha resposta poderá humilhá-lo. Você quer ouvi-la?

P – Vá em frente e fale, Sua Majestade. Eu desejo aprender tudo o quanto possa aguentar sobre a verdade.

R – Quando você encontrou um grande amor na mulher da sua escolha eu perdi o meu controle sobre você.

P – Então você vai me acusar de estar me escondendo atrás das saias de uma mulher, é isso?

R – Não, na verdade não se escondendo. Eu não colocaria dessa forma. Diria que você aprendeu como aproveitar-se positivamente da mente de uma mulher de alto nível.

P – A saia da mulher então não tem nada a ver com isso?

R – Não, mas o seu cérebro, sim. Quando você e a sua esposa começaram a combinar os seus dois cérebros por meio do hábito do "MasterMind" todos os dias, você se deparou com o poder secreto com o qual você me forçou a realizar essa confissão.

P – Isso é verdade ou você está tentando me bajular de novo?

R – Eu poderia bajulá-lo e seduzi-lo se eu estivesse sozinho com você, mas não consigo enquanto você estiver fazendo uso da sua mente e da sua mulher de forma combinada.

P – Estou começando a entender algo importante. Estou começando a entender o que queria dizer aquela passagem da Bíblia que dizia

de forma enfática: "Quando dois ou mais reunirem-se e pedirem por qualquer coisa em Meu Nome, lhes será concedido". É verdade, então, que duas mentes são melhores do que uma?

R – Não somente é verdade, mas é necessário antes que alguém consiga continuamente contatar a grande central de Inteligência Infinita que conhece tudo o que é, o que foi, e o que será.

P – Existe essa central de Inteligência Infinita?

R – Se não existisse, você não estaria neste momento me humilhando, obrigando-me a confessar meus principais segredos.

P – Não é perigoso dar esse tipo de informação para o mundo?

R – Claro, é muito perigoso para mim. Se eu fosse você, não entregaria esse tipo de informação.

P – Vamos voltar agora para a técnica por meio da qual você faz com que suas vítimas caiam no hábito da alienação. Qual o primeiro passo que um alienado deve dar para quebrar esse hábito tão diabólico?

R – Um desejo ardente de quebrá-lo. Você com certeza sabe que ninguém pode ser hipnotizado por outra pessoa sem estar consciente e apto a ser hipnotizado. Essa consciência pode assumir a forma de indiferença em relação à vida, geralmente por falta de ambição, medo, falta de definição de um propósito definido e muitas outras formas. A natureza não precisa do consentimento de ninguém para fazer uma pessoa cair sob o feitiço do ritmo hipnótico. Tudo o que ela precisa é encontrar essa pessoa desprevenida, negligenciando o uso da própria mente de alguma forma. Lembre-se disto: o que quer que você tenha, ou você usa ou você perde. Todas as tentativas bem-sucedidas de quebrar o hábito da alienação devem ser feitas antes que a natureza a transforme em um hábito permanente por meio do ritmo hipnótico.

P – Pelo que estou entendendo, o ritmo hipnótico é uma lei natural por meio da qual a natureza fixa a vibração de todos os ambientes, isso é verdade?

R – Sim, a natureza usa o ritmo hipnótico para fazer os pensamentos dominantes de uma pessoa e os seus hábitos de pensamento se tornarem permanentes. É por isso que a pobreza é uma doença. A natureza a faz dessa forma fixando permanentemente os hábitos de pensamento de todos os que aceitam a pobreza como uma circunstância inevitável. Por meio dessa mesma Lei do Ritmo Hipnótico, a natureza também fixará permanentemente pensamentos positivos de riqueza e prosperidade. Talvez você entenda melhor a forma como o ritmo hipnótico trabalha se eu lhe disser que a sua natureza é fixar permanentemente todos os hábitos, sejam eles mentais, sejam físicos. Se a sua mente teme a pobreza, a sua mente atrairá a pobreza. Se a sua mente deseja riqueza e espera por ela, a sua mente atrairá os equivalentes físicos e financeiros da riqueza. Isso está em concordância com uma lei imutável da natureza.

P – O escritor daquela frase na Bíblia "o que quer que um homem plante, ele colherá" tinha em mente essa lei da natureza?

R – Ele não poderia ter nada além disso em sua mente. A afirmação é verdadeira. Você pode ver evidências dessa verdade em todas as relações humanas.

P – É por isso que o homem que forma o hábito de alienar-se através da vida deve aceitar o que quer que chegue a suas mãos. Isso está correto?

R – Isso está absolutamente correto. A vida paga ao alienado pelo seu próprio preço, em seus próprios termos. O não alienado faz a vida pagar nos seus termos.

P – Por acaso a questão da moral não entra no que se consegue da vida?

R – Para falar a verdade, a única razão em que entra a moral é que ela tem uma influência direta nos pensamentos de uma pessoa. Ninguém consegue o que quer da vida meramente sendo bom, se é o que você está querendo saber.

P – Não, acho que não. Entendo o que você quer dizer. Estamos todos onde estamos e somos o que somos pelos nossos feitos.

R – Não, não exatamente. Você está onde está e você é o que é por causa de seus pensamentos e de suas ações.

P – Então, isso que chamam de sorte não existe, é isso?

R – Enfaticamente, não. As circunstâncias que as pessoas não entendem são classificadas sob o título de sorte. Por trás de toda a realidade existe uma causa. Muitas vezes, a causa está tão longe do efeito que a circunstância pode ser explicada somente atribuindo-se à sorte. A natureza não reconhece tal lei como sorte. É uma hipótese feita pelo homem, com a qual ele explica as coisas que ele não entende. Os termos "sorte e milagre" são irmãos gêmeos. Nenhum dos dois tem uma existência real, exceto na imaginação das pessoas. Ambos são usados para explicar aquilo que as pessoas não entendem. Lembre-se disso, tudo que tem uma existência real pode ser provado como tal. Mantenha essa verdade na sua mente e você se tornará um pensador mais profundo.

P – O que é mais importante: pensamentos ou atos?

R – Todos os atos seguem pensamentos. Não existem feitos sem antes ter havido um padrão de pensamento que o antecedesse. Além disso, todos os pensamentos têm uma tendência de se tornarem a sua contraparte física. Os pensamentos dominantes, que são aqueles que uma pessoa mistura com as emoções, desejos, esperança, fé, medo, ódio, ganância, entusiasmo, eles não apenas têm a tendência de se tornarem o seu equivalente físico, como também estão fadados a se tornarem o equivalente físico.

P – Isso me leva a lhe pedir que me conte mais sobre a sua pessoa. Onde, além das mentes das pessoas, você se fixa e realiza seus planos?

R – Opero onde quer que haja algo que eu possa controlar e de que possa me apropriar. Já lhe disse que eu sou a porção negativa do elétron da matéria.

Sou a explosão do raio.

Sou a dor na doença e o sofrimento físico. Sou o general que não é visto na guerra.

Sou o agente desconhecido da pobreza e da fome. Sou o executor na pena de morte.

Sou um inspirador do desejo na carne.

Sou o criador da inveja, da ganância e do ciúme. Sou o instigador do medo.

Sou o gênio que converte as realizações de homens da ciência em instrumentos de morte.

Sou o destruidor da harmonia em todas as formas de relações humanas. Sou a antítese da justiça.

Sou a força propulsora de toda a imoralidade. Sou o obstáculo para tudo o que é bom.

Sou a ansiedade, o suspense, a superstição e a insanidade. Sou o destruidor da esperança e da fé.

Sou o inspirador da fofoca destrutiva e do escândalo.

Sou o desencorajador do pensamento livre e independente.

Em resumo, sou o criador de todas as formas de miséria humana, o instigador do desencorajamento e do desapontamento.

P – E você não chama isso de frio e cruel?

R – Eu chamo isso de certo e confiável. A crise econômica mundial quebrou os hábitos dos homens em todas as partes e redistribuiu as fontes de oportunidades em todos os setores da vida, em uma escala sem precedentes. O álibi do alienado, com o qual ele tenta explicar a sua posição indesejável, é o seu grito de que não existem novas oportunidades no mundo. Não alienados não esperam pela oportunidade para trilhar o seu caminho. Eles criam oportunidades que estejam de acordo com os seus desejos e necessidades.

P – Os não alienados são espertos o suficiente para evitar a influência do ritmo hipnótico?

R – Ninguém é esperto o suficiente para fugir da influência do ritmo hipnótico. Poderia uma pessoa facilmente evitar a influência da Lei da Gravidade? A Lei do Ritmo Hipnótico fixa permanentemente os pensamentos dominantes dos homens, sejam eles positivos ou negativos ou não alienados ou alienados, respectivamente. Não há razão para que um não alienado queira evitar a influência do ritmo hipnótico, porque essa lei é favorável a ele. Ela o ajuda a converter seus objetivos, planos e metas em réplicas físicas. Ela fixa os seus hábitos de pensamento e os faz permanentes. Somente um alienado desejaria escapar da influência do ritmo hipnótico.

P – Boa parte da minha vida adulta fui um alienado. Como foi que consegui escapar do redemoinho do ritmo hipnótico?

R – Você não escapou. A maior porção dos seus pensamentos e desejos dominantes, desde o momento em que você alcançou a vida adulta, tem sido um desejo definido de entender todas as potencialidades da mente. Você pode ter se alienado em pensamentos de menor importância, mas não se alienou com esse desejo. Devido ao fato de não ter se alienado, você agora está gravando um documento que lhe dará exatamente o que os seus pensamentos dominantes desejavam da vida.

P – Por que a sua oposição não usa o ritmo hipnótico para fazer com que pensamentos positivos e causas nobres tornem-se permanentes? Por que a sua oposição permite que você use essa força estupenda como um meio de enredar as pessoas em uma rede diabólica gerada pelos seus próprios pensamentos e ações? Por que a sua oposição não vence você blindando as pessoas com pensamentos que construam e as elevem acima da sua influência?

R – A Lei do Ritmo Hipnótico está disponível para todos que queiram fazer uso dela. Faço uso dela de forma mais efetiva do que a minha oposição, porque ofereço às pessoas subornos mais atrativos, a fim de que elas pensem os meus tipos de pensamentos e realizem os meus tipos de ações.

P – Em outras palavras, você controla as pessoas fazendo com que pensamentos negativos e ações destrutivas sejam prazerosos para elas. Isso está correto?

R – Essa é a ideia, exatamente!

CAPÍTULO SETE

SEMENTES DO MEDO

P – Seguidamente fico imaginando por que a sua oposição – que nós humanos chamamos de Deus – simplesmente não aniquila você? Você sabe me dizer por quê?

R – Porque a FORÇA é tanto dele quanto minha. Essa força está tão disponível para Ele quanto está para mim. E é exatamente isso que venho tentando fazer você entender. A força mais poderosa do universo pode tanto ser usada com objetivos construtivos e positivos, por meio do que os humanos chamam de Deus, quanto com objetivos estritamente negativos, por meio do que vocês chamam de Diabo. E ainda tem algo mais importante que você deve saber: essa FORÇA pode ser usada por qualquer ser humano, de forma tão efetiva quanto eu ou Deus podemos.

P – Você faz uma afirmação que não me parece muito palpável. Você tem como provar o que está afirmando?

R – Sim, mas seria muito melhor se você provasse por si mesmo. A palavra do Diabo não me parece que tenha muita validade entre vocês, humanos pecadores. Nem a palavra de Deus. Na verdade, vocês temem o Diabo e não confiam no seu Deus. Por isso vocês têm apenas uma fonte disponível por meio da qual podem se apropriar do benefício da força Universal, que é justamente confiando e usando a sua própria força do pensamento. Esse é o caminho direto para a Central Universal de Inteligência Infinita. Não há outro caminho disponível a ser trilhado para qualquer ser humano.

P – Por que nós, seres humanos, não achamos o caminho para a Inteligência Infinita antes?

R – Porque eu os interceptei primeiro e os tirei do caminho, plantando nas suas mentes pensamentos que destroem a sua força de tal forma que vocês não conseguem usar a sua mente de forma adequada. Fiz com que fosse atrativo para vocês usar o poder da Inteligência Infinita a fim de obter fins negativos, por meio da ganância, da avareza, da luxúria, da inveja e do ódio. Lembre-se, a sua mente atrai aquilo que ela mais enfatiza. Para mantê-los longe da minha oposição, tudo o que eu tinha que fazer era alimentá-los com pensamentos que fossem úteis à minha causa.

P – Se estou entendendo, o que você quer dizer é que nenhum ser humano precisa temer o Diabo ou se preocupar em bajular Deus!

R – É precisamente isso. Essa admissão pode afetar minha reputação, mas também, ao mesmo tempo, pode atrapalhar a minha oposição, já que ela abre espaço para enviar mais humanos diretamente para a Fonte de Toda a Força.

P – Em outras palavras, se você não pode controlar as pessoas por meio de subornos negativos ou pelo medo, então você quer realmente chutar o balde e mostrar às pessoas como ir diretamente a Deus? Por algum acaso, você também é político? A sua técnica me parece estranhamente familiar.

R – Eu, na política? Se eu por acaso não estou na política, quem você acredita que começa as crises econômicas e força as pessoas a entrarem em guerra? Você com certeza não acha que isso é papel da minha oposição? Conforme já lhe disse, tenho aliados em todos os setores da vida que ajudam a me conectar com todos os tipos de relações humanas existentes.

P – Por que você não toma conta de todas as igrejas e as usa diretamente para sua causa?

R – Você acha que eu sou um idiota? Quem manteria vivo o medo do Diabo se eu subjugasse as igrejas? Quem serviria de isca para atrair a atenção das pessoas enquanto eu manipulo as suas mentes, se eu não tivesse algum tipo de agente por meio do qual eu pudesse semear as sementes do medo e da dúvida? A coisa mais inteligente que eu faço é justamente usar os aliados da minha oposição para manter sempre vivo o medo do Inferno nas mentes das pessoas. Enquanto as pessoas temerem algo, não importa o quê, eu manterei meu controle sobre elas.

P – Eu estou começando a entender o seu esquema. Você usa as igrejas para plantar a semente do medo, da incerteza e da indefinição nas mentes das pessoas. Esses estados negativos da mente fazem com que as pessoas formem o hábito da alienação. Esse hábito acaba cristalizando-se permanentemente por meio do ritmo hipnótico; então a vítima torna-se indefesa para se ajudar. Isso está correto? O ritmo hipnótico então é algo para ser observado e respeitado?

R – O melhor modo de dizer a verdade é que o ritmo hipnótico é algo a ser estudado, entendido e voluntariamente aplicado para que se possa conseguir alcançar metas e desejos determinados.

P – Se a força do ritmo hipnótico não é voluntariamente aplicada para se conseguir fins determinados, ela pode ser um grande perigo?

R – Sim, e também porque ela funciona automaticamente. Se ela não for conscientemente aplicada para obter determinado resultado desejado, poderá e certamente fará com que se obtenham resultados indesejados. Pegue a simples ilustração do clima, por exemplo; qualquer um pode ver e entender que a natureza força cada ser humano e cada elemento da matéria a ajustarem-se ao seu clima. Nos trópicos ela cria árvores que dão frutos e se reproduzem. Ela força as árvores a ajustarem-se ao seu sol escaldante! Ela as força também a formarem folhas especialmente feitas para a proteção contra os raios de sol. Essas mesmas árvores não poderiam sobreviver se fossem removidas para as regiões árticas, onde a natureza estabeleceu um clima totalmente diferente. Nos climas mais frios, ela cria árvores que são ajustadas para sobreviver e se reproduzir, mas elas não poderiam sobreviver se fossem transplantadas nas regiões tropicais. Da mesma maneira, a natureza abriga os seus animais dando a cada um deles um tipo de clima diferente e um tipo de cobertura para que eles tenham conforto e sobrevivam nesse clima. De uma maneira similar, a natureza força na mente dos homens todas as influências que este recebe do seu ambiente e que muitas vezes são mais fortes do que os próprios pensamentos dos indivíduos. As crianças são forçadas pela natureza a receber influência de todos à sua volta, a não ser que seus próprios pensamentos sejam mais fortes que essas influências. A natureza estabelece um ritmo definido para cada ambiente, e tudo dentro desse ritmo é forçado a entrar em sua frequência. O homem, sozinho, tem o poder de estabelecer o seu próprio ritmo de pensamento, considerando que ele exercita esse privilégio antes de o ritmo hipnótico ter forçado sobre ele as influências do seu ambiente. Todas as casas, todos os tipos de negócio, toda cidade e vilarejo e cada rua e centro comunitário tem o seu próprio, definido e discernível ritmo. Se você deseja conhecer a diferença que existe na frequência de ritmos das ruas, dê uma caminhada na Quinta Avenida, em Nova York, e depois desça uma rua em direção aos bairros pobres. Todas as formas de ritmo tornam-se permanentes com o tempo.

P – Cada indivíduo tem o seu próprio ritmo de pensamento?

R – Sim, essa é precisamente a maior diferença entre os indivíduos. A pessoa que pensa em termos de poder, sucesso, opulência, define um ritmo tal que atrai essas possessões desejáveis. A pessoa que pensa em termos de miséria, escassez, fracasso, desencorajamento e pobreza atrai essas influências indesejáveis. Isso explica por que tanto o sucesso quanto o fracasso são resultados do hábito. O hábito estabelece o ritmo do pensamento, e esse ritmo atrai o objeto, que por sua vez representa os pensamentos dominantes.

P – O ritmo hipnótico, por acaso, é algo que se parece com um ímã que atrai coisas que têm uma afinidade magnética. Isso está correto?

R – Sim, isso está correto. Esse é o motivo de por que todos aqueles que são orientados para a pobreza acabam acumulando-se nas mesmas comunidades. Isso explica aquele velho adágio: "A miséria adora companhia". Isso também explica por que as pessoas que começam a se tornar bem-sucedidas em qualquer tarefa acham que o sucesso multiplica com muito menos esforço, conforme a passagem do tempo. Todas as pessoas bem-sucedidas usam o ritmo hipnótico, tanto conscientemente quanto inconscientemente, esperando e exigindo o sucesso. A exigência torna-se um hábito, o ritmo hipnótico toma conta do hábito, e a lei da atração harmoniosa a traduz no seu equivalente físico.

P – Em outras palavras, se eu sei o que eu quero da vida, peço deliberadamente e apoio o meu pedido com total consciência e desejo pagar o preço que a vida cobrar para conseguir o que quero, e ainda recuso aceitar quaisquer substitutos, a Lei do Ritmo Hipnótico tomará conta dos meus desejos e me ajudará, pelos meios lógicos e naturais, a transformar esses desejos em realidade física. Isso é verdade?

R – Isso descreve a forma como a lei trabalha.

P – A ciência estabeleceu provas irrefutáveis de que as pessoas são o que são devido a dois fatores principais: a hereditariedade e a influência do ambiente. Elas trazem consigo, ao nascer, uma combinação de todas as qualidades físicas de seus numerosos ancestrais. Após chegarem aqui, elas atingem a idade da autoconsciência e, daquele momento em diante, elas formam suas próprias personalidades e mais ou menos definem os seus destinos no planeta como um resultado das influências dos ambientes aos quais elas estão sujeitas, especialmente as influências que as controlam durante a sua infância. Esses dois fatos foram tão bem estabelecidos que não há o menor espaço, mesmo para qualquer pessoa inteligente, questioná-los. Como pode o ritmo hipnótico mudar a natureza de um corpo físico, que por sua vez é uma combinação de milhares de ancestrais que viveram e morreram antes de se terem nascido? Como pode o ritmo hipnótico mudar a influência do ambiente em que se vive? As pessoas que nascem em meio à pobreza e à ignorância têm

uma forte tendência a permanecerem guiadas pela pobreza e pela ignorância durante toda a vida. O que, se é que é possível, pode o ritmo hipnótico fazer sobre isso?

R – O ritmo hipnótico não pode mudar a natureza do corpo físico que se herda ao nascer, mas ele pode e modificará, mudará, controlará e fará permanentes as influências ambientais que estiverem à nossa volta.

P – Se entendi o que você quer dizer, das duas, uma: ou o ser humano é forçado pela natureza a aceitar e tornar-se parte do ambiente que ele escolhe, ou as forças do ambiente são impostas sobre ele.

R – Isso está correto, mas há modos e meios pelos quais um indivíduo pode resistir às influências de um ambiente que ele não deseja aceitar, e há também um método pelo qual se pode reverter a influência do ritmo hipnótico partindo do negativo para se alcançar resultados positivos.

P – Você quer dizer que existe um método definido pelo qual o ritmo hipnótico pode ser utilizado para servir em vez de destruir?

R – É exatamente isso que eu quero dizer.

P – Diga-me como esse fantástico fim pode ser obtido.

R – Para que a minha descrição seja de algum valor prático, ela necessariamente terá de ser longa, porque terá que cobrir os sete princípios da psicologia, os quais devem ser entendidos e aplicados por todos aqueles que desejem usar o ritmo hipnótico para ajudá-los a forçar a vida a lhes trazer aquilo que eles realmente querem.

P – Então divida sua descrição em sete partes, cada uma delas contendo uma análise detalhada dos sete princípios, com instruções simples para sua aplicação na prática.

CAPÍTULO OITO

PROPÓSITO DEFINIDO

P – Sua Majestade procederá agora à revelação dos segredos dos sete princípios por meio dos quais os seres humanos podem forçar a vida a fornecer-lhes a liberdade espiritual, mental e física. Não seja econômico ao longo de sua descrição desses princípios. Quero uma ilustração completa de como esses princípios podem ser utilizados por qualquer pessoa que escolha fazer uso deles. Conte-nos tudo o que sabe sobre o princípio do *propósito definido.*

R – Se, por acaso, seguir adiante com essa ideia maluca de publicar a minha confissão, você abrirá as portas do Inferno e libertará todas as almas que eu busquei ao longo destes últimos séculos. Você me privará de milhões de almas que ainda não nasceram. Você libertará de minha submissão milhões de almas que agora habitam o planeta. Pare. Eu lhe imploro.

P – Vamos lá, se abra. Vamos ouvir o que tem a dizer sobre o princípio do *propósito definido.*

R – Você está colocando água nas chamas do Inferno, mas a responsabilidade é sua, não minha. Eu posso, sem sombra de dúvida, também dizer que qualquer ser humano que esteja firme em seus planos e metas pode fazer a vida entregar a ele exatamente aquilo que ele deseja.

P – Isso é uma afirmação muito abrangente, Sua Majestade. Você poderia diminuir um pouco o escopo de sua afirmação?

R – Diminuir? Não, desejo aumentar! Quando ouvir o que eu tenho a dizer, você entenderá por que o princípio da definição de propósito é tão importante. A minha oposição usa um truque muito esperto para me enganar e tirar o meu controle sobre as pessoas. Porque, na verdade, a oposição sabe que o princípio da definição de propósito fecha a porta da mente de qualquer um contra mim de tal forma que eu não consigo invadir a não ser induzindo essa pessoa ao hábito da alienação.

P – Por que a sua oposição não revela o seu segredo a todas as pessoas contando a elas como evitá-lo por meio de um propósito definido? Você já admitiu que de cada cem pessoas apenas duas pertencem à sua oposição.

R – Porque sou mais esperto que a minha oposição. Eu afasto as pessoas de suas definições por meio das minhas promessas. Como você pode ver, controlo mais pessoas do que a minha oposição porque sou um melhor vendedor e também um grande *showman*. Eu atraio as pessoas alimentando-as deliberadamente com os seus próprios hábitos de pensamentos nos quais elas se satisfazem.

P – O princípio da definição de propósito é algo com que alguém deve nascer ou algo que pode ser adquirido?

R – Todas as pessoas, conforme eu já disse antes, nascem com o privilégio e com o potencial de terem a definição do propósito. Mas 98 de cada 100 pessoas perdem esse privilégio porque não o utilizam nem tomam consciência de sua existência. O privilégio da definição de propósito pode ser mantido somente por meio de uma política pela qual a pessoa o adota como um guia para todos os assuntos de sua vida.

P – Ah, entendo! Pode-se tomar vantagem do princípio da definição de propósito da mesma forma que se pode construir um corpo físico forte e musculoso – por meio do uso constante e sistemático. É assim mesmo?

R – Essa é a verdade nua e crua, da forma mais acertada possível.

P – Agora eu penso que estamos chegando a algum lugar, Sua Majestade. Finalmente chegamos ao ponto de partida pelo qual todos os que se tornam autodeterminados em suas vidas irão infalivelmente

encontrar o sucesso. Descobrimos, por meio de sua fantástica confissão, que o seu maior ativo é a falta de precaução do homem, que por sua vez habilita você a guiá-lo pela selva da indefinição, por meio de pequenos subornos. Aprendemos, acima de qualquer dúvida, que qualquer um que adote o princípio da definição de propósitos como uma política e a use nas suas experiências do dia a dia jamais pode ser induzido a formar o hábito da alienação. Sem a ajuda do hábito da alienação, você não tem força para atrair as pessoas com suas promessas. Isso está correto?

R – Eu mesmo não poderia ter dito tamanha verdade.

P – Vá em frente agora e descreva como as pessoas negligenciam o privilégio de ser livres e autodeterminadas por meio da indefinição e da alienação.

R – Já fiz uma breve referência sobre esse princípio, mas agora entrarei nos mínimos detalhes para explicar de que forma esse princípio funciona. Começarei no momento do nascimento. Quando uma criança nasce, ela traz consigo nada além de um corpo físico, representando os resultados da evolução de milhões de anos de seus ancestrais. A sua mente é um branco total. Quando a criança alcança a idade da consciência e começa a reconhecer os objetos do seu entorno, ela também começa a imitar outras pessoas. A imitação torna-se um hábito fixo. Naturalmente, a criança imita, antes de tudo, os seus pais. Aí, então, ela começa a imitar seus outros parentes e pessoas que as acompanham diariamente, incluindo os instrutores religiosos e os professores da escola. A imitação estende-se não somente à expressão física, mas também à expressão do pensamento. Se os pais de uma criança têm medo de mim e expressam esse medo de tal forma que a criança consiga ouvir isso, essa criança adquire o medo através do hábito da imitação e acaba armazenando isso no seu subconsciente como uma crença real. Se o instrutor religioso dessa criança expressar qualquer forma de medo de mim (e todos eles expressam de uma forma ou outra), esse medo é adicionado ao mesmo temor passado para a criança por seus pais. Essas duas formas negativas de limitação ficam armazenadas no subconsciente, de forma a serem utilizadas por mim mais adiante em suas vidas. De forma similar, a criança aprende, por imitação, a limitar a sua força do pensamento, preenchendo a sua mente com inveja, ódio, ganância, luxúria, vingança e todos os outros impulsos negativos do pensamento, que destroem toda e qualquer possibilidade de definição de propósito. Enquanto isso, me hospedo na mente dessa criança e a induzo a alienar-se, até que eu tenha controle total sobre ela por meio do ritmo hipnótico.

P – Pelo que eu pude entender de todas as suas afirmações, você tem que ganhar o controle das pessoas enquanto elas são muito jovens, sob pena de perder a oportunidade de controlá-las?

R – Eu prefiro possuí-las antes que elas tomem conta de suas próprias mentes. Uma vez que uma pessoa aprenda o real poder dos seus próprios pensamentos, ela se torna positiva, e então é muito difícil que ela se submeta a mim. Na verdade, não tenho poder sobre nenhum ser humano que descubra e use o princípio da definição do propósito.

P – O hábito da definição de propósitos seria uma proteção permanente contra o seu controle?

R – Não, de certa forma, não. A definição fecha a porta da mente para mim, mas ela só mantém as portas fechadas contanto que a pessoa siga o princípio de forma sistemática e permanente, fazendo dele um hábito de vida. Uma vez que a pessoa hesite, procrastine, ou torne-se indefinida sobre qualquer coisa, ela está apenas a um passo de deixar essa proteção e ser envolvida por mim e pelo meu controle.

P – Qual a relação que existe entre a definição de propósito e as circunstâncias materiais de determinada pessoa? Eu gostaria de saber se uma pessoa pode adquirir poder por meio da definição de propósitos, sem trazer para si o poder da destruição pela Lei da Compensação.

R – A sua questão limita as minhas ilustrações, porque há tão poucas pessoas no mundo que entendem. Existiram muito poucas pessoas no passado que entendiam como usar o princípio do propósito definido sem atrair para si mesmas as implicações negativas da Lei da Compensação. Aqui você está me forçando a revelar um dos meus truques mais valiosos. Estou para contar a você que eventualmente trago novamente para a minha causa todos aqueles que escapam de mim temporariamente, por meio do princípio da definição de propósito. A forma de como eu faço essas pessoas retornarem a mim é simplesmente preenchendo as mentes delas com ganância por poder e amor pela expressão egocêntrica, até o limite de o indivíduo cair no hábito da violação dos direitos dos outros. Aí, então, entro com a Lei da Compensação e imediatamente retomo a minha vítima.

P – Então eu vejo, baseado em suas próprias admissões, que o princípio da definição de propósito pode ser perigoso proporcionalmente à possibilidade de tornar-se uma forma de poder. Isso é uma verdade?

R – Sim, e o que é mais importante: cada princípio do bem carrega consigo a semente de um perigo equivalente.

P – É difícil de acreditar nisso. Que perigo, por exemplo, pode haver no hábito do amor à verdade?

R – O perigo encontra-se na palavra "hábito". Todos os hábitos, com exceção somente daquele do amor à definição de propósito, podem levar à alienação. O amor à verdade, a menos que ele assuma a proporção da procura definitiva por ela, pode se tornar similar a todas as outras boas intenções. E você sabe, é claro, o que faço com boas intenções.

P – O amor pelos parentes também é perigoso?

R – O amor por qualquer coisa ou por qualquer pessoa, exceto o amor pelo propósito definido, pode ser perigoso. O amor é um estado de espírito que encobre a razão, limita a força de vontade e cega a mente para os fatos e para a verdade. Todos aqueles que se tornam autodeterminados e ganham liberdade espiritual para pensar os seus próprios pensamentos devem examinar cuidadosamente cada emoção, mesmo aquela mais vaga relacionada ao amor. Você pode ficar surpreso de saber que o amor é uma das minhas iscas mais efetivas. Com ele trago para o hábito da alienação aqueles que não consegui atrair com nada mais. E é por isso que o coloquei encabeçando a minha lista de subornos. Mostre-me aquilo que uma pessoa mais ama e eu terei a chave para saber como essa pessoa pode ser induzida a alienar-se, até o ponto de eu fisgá-la com o ritmo hipnótico. Amor e medo, combinados, me fornecem as armas mais efetivas com as quais induzo as pessoas a se alienarem. Cada qual é tão útil quanto o outro. Ambos têm o efeito de fazer com que as pessoas negligenciem o desenvolvimento da definição no uso das suas próprias mentes. Dê-me o controle sobre os medos de uma pessoa e adicionalmente me conte o que ela mais ama. Com certeza, pode contar que essa pessoa será minha escrava. O amor e o medo são forças emocionais de tão estupenda potência que qualquer uma das duas têm o poder de retirar a força de vontade e o uso da razão. Sem o poder da vontade e da razão, não há nada mais que possa sustentar a definição de propósito.

P – Mas, Sua Majestade, não valeria a pena viver se as pessoas nunca sentissem a emoção do amor.

R – Ah! Você está tão certo quanto à sua razão, mas negligenciou ao não adicionar que o amor deve estar sob total controle da pessoa em todos os momentos. É claro, o amor é um estado de espírito completamente desejável, mas também é um paliativo que pode ser usado para limitar ou destruir a razão e a força de vontade, e ambas devem estar acima do amor em importância para todos aqueles seres humanos que desejam a liberdade e a autodeterminação.

P – Entendo, pelo que você diz, que as pessoas que ganham poder devem endurecer as suas emoções, controlar os seus medos e dominar o amor. Isso está correto?

R – As pessoas que ganham e mantêm poder devem tornar-se definidas em todos os seus pensamentos e atos. E se isso é o que você chama endurecer, então, sim, eles têm que ser duros.

P – Vamos olhar para as fontes da vantagem de ser definido em todos os assuntos do dia a dia de nossa vida. Qual é mais apto para ser bem-sucedido: um plano fraco aplicado com definição ou um plano forte e profundo aplicado sem definição?

R – Planos fracos têm um meio de se tornarem fortes se forem aplicados com definição.

P – Você quer dizer que qualquer plano, definitivamente colocado em ação contínua na busca por um propósito definido, pode tornar-se bem-sucedido mesmo que não seja o melhor plano?

R – Sim, é exatamente isso que eu quero dizer. A definição de propósito, mais um plano bem elaborado, geralmente traz consigo o sucesso, não importando o quão fraco o plano possa ser. A maior diferença entre um plano forte e um fraco é que o plano forte, se definitivamente aplicado, pode trazer sucesso mais rapidamente do que um plano fraco.

P – Em outras palavras, se não se consegue estar sempre certo, então se deve ser sempre definido? É isso que você está tentando me fazer entender?

R – Essa é a ideia. As pessoas que são definidas, tanto em seus planos quanto em seus objetivos, aceitam derrotas temporárias como sendo um sinal para que façam um esforço maior. Você pode ver por si mesmo que esse tipo de política está fadado a ganhar, se for feito com convicção.

P – Pode uma pessoa que se move com definição, tanto de planos quanto de propósitos, estar sempre certa de alcançar o sucesso?

R – Não. O melhor dos planos, algumas vezes, falha, mas a pessoa que age com definição reconhece a diferença entre a derrota temporária e o fracasso. Quando os planos falham, ela os substitui por outros, mas ela não muda o seu propósito, ela persevera. Eventualmente, ela encontra um plano que será bem-sucedido.

P – Um plano baseado em fins imorais ou injustos será tão bem-sucedido e de forma tão rápida quanto um plano motivado por um senso apurado de justiça e moralidade?

R – Por meio da operação da Lei da Compensação, todos, sem exceção, colhem aquilo que plantam. Planos baseados em motivos injustos ou imorais podem trazer sucesso temporário, mas sucesso duradouro deve levar em consideração a quarta dimensão: o tempo. O tempo é o inimigo da imoralidade e da injustiça. Ele é o amigo da justiça e da moralidade. O fracasso em reconhecer esse fato como verdadeiro tem sido responsável pela onda de crimes entre jovens do mundo inteiro. A mente jovem e inexperiente pode frequentemente cometer o erro de avaliar sucesso temporário como algo permanente. Os jovens frequentemente cometem o erro de cobiçar os ganhos temporários baseados em planos injustos e imorais, e negligenciam olhar à frente e observar as penalidades que sempre seguem, exatamente como a noite segue o dia.

CAPÍTULO NOVE

EDUCAÇÃO E RELIGIÃO

P – Isso é coisa profunda, Sua Majestade. Vamos voltar à discussão de assuntos mais leves e mais concretos, e que provavelmente vão interessar à maioria das pessoas. Estou interessado em discutir as coisas que fazem as pessoas felizes e miseráveis, ricas e pobres, doentes e saudáveis. Em resumo, estou interessado em tudo que pode ser usado por seres humanos, de tal forma que a vida possa pagar dividendos satisfatórios como retorno para o esforço que se coloca nesse negócio que se chama viver.

R – Muito bem, vamos ser definitivos.

P – Você pegou a minha ideia. Sua Majestade tem uma tendência a divagar em detalhes abstratos que a maior parte das pessoas não consegue nem entender, nem usar na solução dos seus problemas. Poderia isso, de alguma maneira, ser um plano definido seu para responder as minhas questões utilizando-se de respostas indefinidas? Se esse é o seu plano, é um truque astuto, mas não funcionará. Vá em frente agora e me fale mais alguma coisa sobre as misérias e os fracassos dos seres humanos que, por sua vez, crescem diretamente ligados à indefinição.

R – Por que não me permitir lhe contar mais sobre os prazeres e sucessos das pessoas que entendem e aplicam o princípio da definição?

P – Observo que algumas vezes pessoas com planos e objetivos definidos conseguem o que querem da vida, para somente depois

descobrir que aquilo que elas conseguiram não é exatamente o que queriam. O que é então?

R – Geralmente, nos livramos de qualquer coisa que não queremos pela aplicação do mesmo princípio de definição das coisas que adquirimos. Uma vida que é vivida com absoluta paz de espírito, contentamento e felicidade sempre se livra de tudo aquilo que não quer. Qualquer um que se submete a coisas que não quer por um longo período, este sim, é um alienado.

P – E o que você tem a dizer sobre pessoas casadas que deixam de querer estar um com o outro? Eles devem se separar ou é verdade que todos os casamentos são feitos no céu e os contratantes são, dessa forma, ligados eternamente por essa vontade momentânea, mesmo provando ser uma escolha pobre para ambos?

R – Primeiro, deixe-me corrigir esse velho ditado de que todos os casamentos são feitos no céu. Eu conheço alguns que são feitos do meu lado da cerca. Mentes que não se harmonizam jamais deveriam ser forçadas a permanecer juntas no casamento ou em qualquer tipo de relacionamento. O atrito e todas as formas de discórdia entre as mentes levam inevitavelmente para o hábito da alienação e, consequentemente, para a indefinição.

P – As pessoas não são algumas vezes ligadas umas às outras por uma relação de dever, o que acaba sendo impraticável, para elas, tirar da vida o que elas mais querem?

R – "Dever" é uma das palavras mais abusadas e mal-entendidas da existência. O primeiro dever de cada ser humano é consigo mesmo. Cada pessoa deve a si mesma o dever de encontrar como viver uma vida plena e feliz. Além disso, se a pessoa tem tempo e energia extras e que não são necessárias para preencher os seus próprios desejos, ela deve assumir a responsabilidade de ajudar outros.

P – Isso não é uma atitude egoísta, e egoísmo não é uma das principais causas do fracasso em se achar a felicidade?

R – Mantenho exatamente a mesma frase que lhe disse antes, de que não existe maior dever do que aquele que devemos a nós mesmos.

P – Uma criança não deve algo, no sentido de dever, aos seus pais, que lhe deram a vida e o sustento durante seus períodos de necessidade?

R – De forma alguma. É exatamente o oposto. Os pais devem às suas crianças tudo o que eles podem dar a elas na forma de conhecimento. Além desse ponto, os pais normalmente mimam em vez de ajudar as suas crianças, tudo isso por um falso senso de dever que os faz satisfazer as suas crianças em vez de forçá-las a procurar e ganhar o conhecimento.

P – Entendo o que você quer dizer. A sua teoria é de que o excesso de ajuda para os jovens os encoraja a se alienarem e se tornarem indefinidos em todas as coisas. Você, Majestade, acredita que a necessidade é um professor de grande sagacidade, que a derrota carrega consigo uma virtude equivalente e que presentes que não são merecidos, sejam de que naturezas forem, podem tornar-se uma maldição em vez de uma benção. Isso está correto?

R – Você conseguiu colocar a minha filosofia de forma perfeita. A minha crença não é teoria. É um fato.

P – Então você não advoga a oração como um meio de alcançar fins desejáveis?

R – Pelo contrário, advogo que a oração é poderosa, mas não o tipo de oração que consiste em palavras vazias, sem sentido e suplicantes. O tipo de oração contra a qual não tenho nenhuma força é a oração com um propósito definido.

P – Eu nunca pensei na definição de propósito como sendo uma oração. Como ela pode ser?

R – A definição é, em efeito, a única forma de oração em que alguém pode realmente basear-se. Ela, na verdade, posiciona a pessoa de forma que use o ritmo hipnótico para alcançar fins definidos, apropriando-se da grande fonte universal de Inteligência Infinita. Essa apropriação, no caso de você estar interessado, ocorre por meio da definição de propósito, persistentemente perseguida.

P – Por que a maioria das orações falha?

R – Elas não falham. Todas as orações trazem aquilo pelo qual se reza.

P – Mas você disse que a definição de propósito é o único tipo de oração em que alguém pode se basear. Agora você diz que todas as orações trazem resultado. O que você quer dizer?

R – Não há nada inconsistente com isso. A maioria das pessoas que reza recorre à oração somente após tudo ou mais ter falhado. Naturalmente, elas começam as orações com suas mentes cheias de medo de que elas não serão atendidas. Bem, os medos então são realizados. A pessoa que começa uma oração com um propósito definido e fé inabalável de que vai alcançar o seu objetivo coloca em ação as leis da natureza que transmutam os desejos dominantes de uma pessoa no seu equivalente físico. Isso é tudo que se pode dizer sobre uma oração. Uma forma de oração negativa traz somente resultados negativos. A outra forma é positiva e traz resultados definidos e positivos. Poderia algo ser mais simples do que isso? As pessoas que se lamentam e imploram que Deus assuma responsabilidade por todos os seus problemas e forneça todas as necessidades e luxúrias que a vida pode oferecer são na verdade muito preguiçosas para conseguir o que elas querem da vida e traduzir tudo isso como uma realidade física por meio do poder de suas próprias mentes. Quando você escuta uma pessoa rezando por algo que ela deveria conseguir com seus próprios esforços, pode ter certeza de que você está escutando um alienado. A Inteligência Infinita favorece somente aqueles que entendem e adaptam-se às suas leis. Ela não faz discriminação por definição de um caráter excelente ou de uma personalidade agradável. Essas características ajudam as pessoas a negociarem o seu caminho através da vida de forma mais harmoniosa, mas a fonte com a qual a oração é respondida não é impressa com letras de ouro. A lei da natureza diz o seguinte: "Saiba o que você quer, adapte-se às minhas leis, e você com certeza o terá".

P – Isso se harmoniza com os ensinamentos de Cristo?

R – Perfeitamente. Isso também se harmoniza com os ensinamentos de todos os grandes filósofos.

P – A sua teoria de definição está em harmonia com a filosofia dos homens da ciência?

R – A definição é a maior diferença entre um cientista e um alienado. Por meio do princípio da definição de plano e propósito, o cientista força a natureza a revelar-lhe os seus mais profundos segredos. Foi por meio desses princípios que Edison descobriu o segredo da máquina falante (vitrola), a lâmpada elétrica incandescente e muitos outros benefícios para a espécie humana.

P – Então eu entendo que a definição é o primeiro requisito para o sucesso em todo e qualquer empreendimento humano. Isso está correto?

R – Exatamente. Qualquer coisa que ensine as pessoas a examinarem fatos e conectá-los a planos definidos por meio de um pensamento apurado vai dificultar a minha profissão. Se essa sede por conhecimento definido, que agora está se espalhando pelo mundo, mantiver-se assim, meu negócio ficará ameaçado dentro dos próximos séculos. Eu triunfo na ignorância, na superstição, na intolerância e no medo, mas não consigo manter-me de pé ante um conhecimento definido, propriamente organizado em planos definidos nas mentes das pessoas que pensam por si mesmas.

P – Por que você não assume a onipotência e administra todos os trabalhos da sua própria maneira?

R – Você pode também perguntar por que a porção negativa do elétron não toma conta da porção positiva e faz todo o trabalho. A resposta é que ambas as cargas, positiva e negativa da energia, são necessárias para a existência do elétron. Uma é balanceada igualmente contra a outra, e assim deve permanecer. E é dessa forma que ocorre a relação entre a onipotência e mim. Representamos as forças positivas e negativas de todo o sistema dos universos e estamos igualmente balanceados uma contra a outra. Se essa força de equilíbrio fosse modificada, mesmo que num ínfimo grau, todo o sistema dos universos se tornaria rapidamente reduzido a uma massa de matéria inerte. Agora você sabe por que eu não posso tomar conta de todo o *show* e simplesmente fazer tudo do meu jeito.

P – Se o que você diz é verdade, você tem exatamente o mesmo poder que a onipotência. Isso é verdadeiro?

R – Isso está correto. A minha oposição – a quem você chama onipotência – se expressa por meio das forças que você chama de "boas", as forças positivas da natureza. Eu me expresso por meio de forças que você chama de "más", as forças negativas da natureza. Tanto o bem quanto o mal são forças que devem coexistir na natureza. Uma é tão importante quanto a outra.

P – Então a doutrina da predestinação é verdadeira. As pessoas nascem para o sucesso ou para o fracasso, para a miséria ou para a felicidade, para serem boas ou más, e elas nada têm a ver com isso e muito menos podem modificar as suas naturezas. É isso que você está afirmando?

R – Enfaticamente: não! Cada ser humano tem uma ampla gama de escolhas, tanto para os seus pensamentos quanto para as suas ações. Cada ser humano pode usar o seu cérebro para a recepção e para a expressão de pensamentos positivos, ou pode usá-lo para expressar pensamentos negativos. A sua escolha nesse assunto tão importante molda toda a sua vida.

P – Pelo que você disse, pude perceber que os serem humanos têm mais liberdade de expressão do que você ou a sua oposição. Isso está correto?

R – Sim, isso está correto. Tanto eu quanto a onipotência somos limitados por leis imutáveis da natureza. Nós não podemos nos expressar, seja de que maneira for, se não for em conformidade com essas leis.

P – Então é verdade que o homem tem direitos e privilégios não disponíveis nem para a onipotência, nem para o Diabo. Isso é a verdade?

R – Sim, isso é verdade. Mas você também tem que acrescentar que o homem ainda não acordou totalmente para dar-se conta de sua força em potencial. O homem ainda se considera algo como uma poeira no vento, quando na realidade ele tem muito mais poder do que todas as criaturas vivas combinadas.

P – A definição de propósito parece ser uma panaceia para todos os males do homem.

R – Talvez não isso, mas você pode ter certeza de que ninguém se tornará autodeterminado sem a definição de propósito.

P – Por que não ensinam para as crianças sobre a definição de propósito nas escolas?

R – Pela razão de que não existe um plano definido ou propósito por trás de qualquer currículo escolar. As crianças são enviadas para a escola para ganhar um diploma escolar e aprender como memorizar, não para aprender o que elas realmente querem da vida.

P – Qual o benefício de um diploma escolar, se não se consegue convertê-lo em realizações espirituais e materiais da vida?

R – Eu sou somente o Diabo, e não um resolvedor de enigmas!

P – Eu deduzo, por tudo que você diz, que nem as escolas, nem as igrejas preparam os jovens do mundo com um conhecimento prático de como funcionam suas próprias mentes. Existe alguma coisa de maior importância para um ser humano do que o entendimento das forças e circunstâncias que influenciam a sua própria mente?

R – A única coisa de valor duradouro para qualquer ser humano é o conhecimento de como opera a sua própria mente. As igrejas não permitem que uma pessoa investigue e adentre para conhecer as potencialidades de sua própria mente, e as escolas tampouco reconhecem tais potencialidades.

P – Você não está pegando um pouco pesado com as escolas e com as igrejas?

R – Não, estou apenas as descrevendo como elas são, sem tendências ou preconceitos.

P – As escolas e as igrejas não são seus piores inimigos?

R – Os seus líderes podem pensar que são, mas eu só me impressiono com fatos. A verdade é esta, se é que você quer saber: as igrejas são meus aliados mais úteis, e as escolas estão logo atrás.

P – De que forma específica ou em termos gerais você faz essa afirmação?

R – Da seguinte forma: tanto as igrejas quanto as escolas me ajudam a converter as pessoas para o hábito da alienação.

P – Você consegue perceber que os indícios que você está levantando são substanciais, a ponto de macular a imagem de duas instituições que foram da maior importância e responsáveis pela civilização da forma como se conhece hoje?

R – Se me dou conta? Minha nossa, eu me regozijo com isso. Se as escolas e as igrejas tivessem ensinado as pessoas a pensarem por si mesmas, onde eu estaria agora?

P – Essa confissão sua desiludirá milhões de pessoas cuja única esperança de salvação está nas suas igrejas. Isso não é algo cruel para fazer com elas? Não seria muito melhor, para a maioria das pessoas, viver na ignorância desse fato do que saber a verdade sobre você?

R – O que você quer dizer com o termo "salvação"? Do que na verdade as pessoas estão sendo salvas? A única forma de salvação duradoura que realmente é válida para qualquer ser humano é aquela que vem do reconhecimento do poder de sua própria mente. Ignorância e medo são os únicos inimigos dos quais os homens necessitam salvação.

P – Você parece não considerar nada como sagrado.

R – Você está errado. Mantenho como sagrada a única coisa que eu considero meu mestre – a única coisa da qual tenho medo.

P – E o que é isso que você teme?

R – O poder do pensamento independente amparado pela definição de propósito.

P – Então você não tem muitas pessoas para temer?

R – Somente duas de cada cem, para ser mais exato. As outras todas eu controlo.

P – Vamos dar um tempo para as igrejas e voltar para as escolas. A sua confissão mostrou claramente que você prospera e se perpetua de uma geração para outra utilizando o truque de tomar conta das mentes das crianças antes que elas tenham a chance de usar os seus próprios intelectos. Desejo saber o que está errado com o sistema escolar que permite que o Diabo controle tantas pessoas. Desejo saber também o que pode ser feito para estabelecer um sistema de ensino que garantirá a oportunidade de aprendizado para todas as crianças – primeiro de que elas têm mentes, segundo de que forma elas podem usar as suas mentes para trazer liberdade espiritual e econômica para suas vidas. Estou colocando essa questão de forma suficientemente definida, considerando que você tem salientado a importância da definição de propósito. Estou aqui para alertá-lo de que a sua resposta para minha questão deve ser definida.

R – Espere um momento enquanto eu respiro. Você me deu uma ordem e tanto! E parece estranho que você tenha vindo para o Diabo

para aprender como viver. Eu penso que você deveria visitar a minha oposição. Por que você não vai?

P – Sua Majestade, quem está sendo inquirido aqui é você, não eu. Quero a verdade e não estou preocupado pela fonte da qual vou tê-la. Existe algo radicalmente errado com o sistema de educação, sistema tal que tem nos fornecido um balancete da vida que nos mostra que estamos vulneravelmente no vermelho, sempre na esperança de entrar para o caminho da autodeterminação, tal como se fôssemos animais perdidos numa selva. Quero saber duas coisas sobre esse sistema. Primeiro: qual a maior fraqueza do sistema? Segundo: como pode essa fraqueza ser eliminada? A bola está com você novamente! Por favor, permaneça focado na questão e pare de tentar me desfocar para questões abstratas. Isso é ser definido, não é?

R – Você não me deixa nenhuma chance a não ser partir para uma resposta direta. Para começar, o sistema de ensino parte de um ângulo educacional errado. O sistema escolar esforça-se para ensinar às crianças a memorizar fatos, em vez de ensiná-los como usar as suas próprias mentes.

P – É somente isso que está errado com o sistema?

R – Não, esse é apenas o começo. Outra grande fraqueza do sistema escolar é que ele não estabelece na mente das crianças nem a importância da definição de propósito nem tenta ensinar aos jovens como serem definidos sobre qualquer coisa. O maior objetivo de toda escola é forçar os estudantes a abarrotar as suas memórias com fatos, em vez de ensiná-los como organizar e fazer um uso prático desses fatos. Esse sistema de acumulação da memória faz com que a atenção dos estudantes seja centrada apenas em ganhar créditos e boas notas, mas deixa de lado a questão mais importante, que seria a do uso desse conhecimento nos assuntos práticos da vida. Esse sistema gradua estudantes e forma diplomados, cujas mentes estão vazias de autodeterminação. O sistema escolar partiu já de um mau começo. As escolas começaram a sua história como instituições de "aprendizado de alto nível", tendo sido criadas inteiramente para aqueles poucos afortunados cujas famílias os destinavam para a educação. Assim, todo o sistema escolar foi desenvolvido começando pelo topo até chegar à parte de "baixo" da sociedade. Não é de se estranhar que esse sistema não ensine às crianças a importância da definição de propósito, quando o próprio sistema literalmente desenvolveu-se pela indefinição.

P – O que corrigiria essa fraqueza do sistema escolar? Vamos combinar que não vamos reclamar da fraqueza do sistema a menos que estejamos preparados para oferecer um remédio prático, com o qual todo o sistema pode ser corrigido. Em outras palavras, enquanto estamos discutindo a importância da definição de um plano e de um propósito, vamos nós mesmos tomar nosso remédio e sermos definidos.

R – Por que não esquece as escolas e as igrejas e evita uma série de incomodações para você mesmo? Não sabe que está colocando seu nariz em assuntos que envolvem as duas forças que controlam o mundo? Vamos supor que você mostre ao mundo que as escolas e as igrejas são fracas e inadequadas para as necessidades dos seres humanos. O que vai acontecer? Com o que vai substituir essas duas instituições?

P – Pare de tentar escapar das minhas questões com esse velho truque de fazer outra pergunta! Não tenho intenção de substituir as escolas e as igrejas. Mas tenho a intenção de encontrar, se puder, um meio de fazer com que essas forças organizadas possam ser modificadas de tal forma que elas sirvam às pessoas em vez de as manter nas trevas da ignorância. Vá em frente agora e me dê um catálogo detalhado de todas as mudanças que poderiam ser feitas no sistema escolar e que, por sua vez, o aperfeiçoariam.

R – Então, você quer todo o catálogo, é isso? Quer as mudanças sugeridas na ordem de sua importância?

P – Descreva as mudanças necessárias na ordem em que elas vêm para você.

R – Você está me forçando a cometer um ato de traição contra mim mesmo, mas aqui está:

Reverta o presente sistema dando às crianças o privilégio de liderar nos seus trabalhos escolares, em vez de seguir regras ortodoxas estabelecidas somente para compartilhar conhecimento abstrato. Deixe os instrutores servirem como estudantes e deixe os estudantes servirem como instrutores.

Tanto quanto possível, organize todos os trabalhos das escolas em métodos definidos por meio dos quais os estudantes possam aprender fazendo e direcione o trabalho da classe de tal forma que todo estudante esteja engajado em alguma forma de trabalho prático, conectado com os problemas diários da vida.

As ideias são o começo de todas as realizações humanas. Ensine todos os estudantes como reconhecer ideias práticas, que podem ser de grande benefício para ajudá-los a adquirir o que quer que seja que a vida exija deles.

Ensine aos estudantes como fazer uma administração efetiva do tempo e, sobretudo, ensine a verdade de que o tempo é o ativo mais valioso disponível para todos os seres humanos, e também o mais barato.

Ensine ao estudante os motivos básicos pelos quais todas as pessoas são influenciadas, e mostre a eles como usar esses motivos para adquirir as necessidades e os luxos da vida.

Ensine às crianças o que comer, o quanto comer, e qual a relação existente entre uma boa alimentação e um corpo saudável.

Ensine às crianças a verdadeira natureza e a função da emoção do sexo, e, sobretudo, ensine a eles que o sexo pode ser transmutado em uma força propulsora capaz de levar qualquer um ao topo de suas realizações.

Ensine às crianças a importância de serem definitivas em todas as coisas, começando com a escolha de um grande propósito definido para a vida.

Ensine às crianças o princípio do hábito, e de que este pode ser bom ou mau, usando as experiências do dia a dia como exemplo para elas.

Ensine às crianças como hábitos tornam-se permanentes por meio do ritmo hipnótico e as influencia a adotar, enquanto ainda estão no início dos anos escolares, hábitos que as levarão a ter pensamentos independentes.

Ensine às crianças a diferença entre derrota temporária e fracasso. E ensine a elas como procurar pela semente de uma vantagem equivalente que toda derrota traz consigo.

Ensine às crianças a importância de expressarem seus próprios pensamentos sem medo, e ensine-as a aceitar ou rejeitar, por sua própria vontade, todas as ideias dos outros, reservando para si mesmas, sempre, o privilégio de as submeterem ao seu próprio julgamento.

Ensine as crianças a tomarem decisões prontamente e a mudá-las, mesmo que sejam todas, vagarosamente e com relutância e nunca sem uma razão definida.

Ensine às crianças que o cérebro humano é o instrumento com o qual se recebe da grande fonte central da natureza a energia que é especializada em pensamentos definidos; de que o cérebro não pensa, mas serve como um instrumento para a interpretação dos estímulos que causam o pensamento.

Ensine às crianças o valor da harmonia em suas próprias mentes e que isso é possível somente por meio do autocontrole.

Ensine às crianças a natureza e o valor de ter autocontrole.

Ensine às crianças que existe uma lei de retornos crescentes que pode e deve ser colocada em operação, como um hábito, mostrando que se deve sempre prestar mais e melhores serviços do que é esperado delas.

Ensine às crianças a verdadeira natureza da “Regra de Ouro” e, sobretudo, mostre a elas que, por meio da operação desse princípio, tudo o que elas fazem para e por outros, elas acabam fazendo para si mesmas.

Ensine as crianças a não terem opiniões, a não ser que sejam formadas por fatos ou crenças que possam ser razoavelmente aceitos como verdadeiros fatos.

Ensine às crianças que cigarros, bebidas, drogas e o sexo em demasia destroem a força de vontade e acabam levando ao hábito da alienação. Não proíba esses males – apenas explique para elas.

Ensine às crianças sobre o perigo de acreditar em qualquer coisa meramente porque os seus pais, os seus instrutores religiosos ou qualquer outra pessoa tenha dito para fazê-lo.

Ensine as crianças a encararem fatos, sejam eles agradáveis ou desagradáveis, sem recorrer a subterfúgios ou sem oferecer-lhes álibis.

Ensine as crianças a encorajarem o uso do seu sexto sentido, por meio do qual as ideias apresentam-se em suas mentes de fontes desconhecidas, e a examinar tais ideias cuidadosamente.

Ensine às crianças a importância da Lei da Compensação, tal como foi interpretada por Ralph Waldo Emerson, e mostre a elas como essa lei trabalha nos eventos do dia a dia, mesmo nos menores.

Ensine às crianças que a definição de propósito, amparada por planos definidos persistentemente e continuamente aplicados, é a forma mais eficaz de oração disponível para os seres humanos.

Ensine às crianças que o espaço que elas ocupam no mundo é medido pela qualidade e pela quantidade de serviço útil que elas prestam para o mundo.

Ensine às crianças que não existe nenhum problema que não tenha uma solução apropriada, e que a solução, na maior parte das vezes, pode ser encontrada nas circunstâncias que criaram o problema.

Ensine às crianças que as suas únicas limitações reais são aquelas impostas por si mesmas ou que elas permitem que outros estabeleçam em suas próprias mentes.

Ensine a elas que tudo que um homem pode conceber e acreditar ele pode alcançar!

Ensine às crianças que todas as escolas e todos os livros de textos são elementos essenciais que podem ser úteis no desenvolvimento de suas mentes, mas que a única escola de real valor é a grande universidade da vida, onde se tem o privilégio de aprender pela experiência.

Ensine as crianças a serem verdadeiras consigo mesmas em todos os momentos e, considerando-se que elas não podem satisfazer a todos, elas devem ter sempre em mente que precisam satisfazer-se a si mesmas.

P – Essa é uma lista imponente, mas me parece óbvio pelo fato de que ela ignora praticamente todas as matérias que agora são ensinadas nas escolas. Era essa a intenção?

R – Sim. Você me pediu uma lista de mudanças sugeridas no currículo escolar, as quais beneficiariam as crianças – foi isso que eu lhe dei.

P – Algumas das mudanças que você sugere são tão radicais que chocariam a maioria dos educadores de hoje, você não acha?

R – A maioria dos educadores de hoje necessita desse choque. Um bom choque normalmente ajuda o cérebro que se atrofiou pelo hábito.

P – As mudanças que você sugere para as escolas dariam imunidade às crianças contra o hábito da alienação?

R – Sim, esse seria um dos resultados que as mudanças trariam, mas existem outros também.

P – Como essas mudanças sugeridas poderiam ser aplicadas no atual sistema escolar? Você sabe, é claro, que é tão difícil programar uma nova ideia no cérebro de um professor quanto é fazer com que um líder religioso modifique a religião de tal forma que ela possa ajudar as pessoas a angariar mais da vida.

R – A maneira mais certa e mais rápida para forçar a aplicação dessas ideias práticas no sistema escolar é, primeiro, introduzi-las em escolas privadas e estabelecer uma exigência para o uso nas escolas públicas, de tal forma que os administradores dessas escolas sintam-se compelidos a empregá-las.

P – Deveriam ser feitas outras mudanças no sistema das escolas?

R – Sim, muitas. Entre outras mudanças necessárias em todos os programas escolares está o acréscimo de um curso completo de treinamento de psicologia de negociação entre as pessoas. Todas as crianças deveriam ser ensinadas na arte da venda e da persuasão, aprendendo meios de diminuir o atrito nas relações humanas através da vida. Toda escola deveria ensinar os princípios de realização individual por meio dos quais se pode obter uma posição de independência financeira. As classes deveriam ser abolidas também. Elas deveriam ser substituídas pela mesa-redonda ou pelo sistema de conferência, tais quais os homens de negócios empregam. Todos os estudantes deveriam receber instruções individuais e ser guiados em conexão com matérias que não podem ser ensinadas apropriadamente em grupos. Toda escola deveria ter um grupo auxiliar de instrutores, consistindo de homens de negócios, cientistas, artistas, engenheiros, jornalistas. Cada qual compartilharia com todos os estudantes um conhecimento prático da sua própria profissão, negócio ou ocupação. Essa instrução deveria ser conduzida por meio do sistema de conferência, a fim de economizar o tempo dos instrutores.

P – O que você sugeriu é, com efeito, um sistema auxiliar de instrução que daria a todas as crianças que frequentam as escolas um conhecimento dos assuntos práticos da vida, direto da fonte original. Seria essa a ideia?

R – Você colocou corretamente.

P – Vamos esquecer um pouco o sistema escolar por agora e vamos voltar para as igrejas por um momento. Toda a minha vida ouvi clérigos pregando contra o pecado e advertindo pecadores a ficarem atentos e se arrependerem, pois essa seria a única maneira de serem salvos. Mas nunca ouvi nenhum deles me dizer o que realmente é o pecado. Você me daria alguma luz nessa questão?

R – Pecado é qualquer coisa que alguém faça ou pense e que cause infelicidade para si mesmo ou para os outros! Seres humanos que estão em ótimas condições físicas e em perfeita saúde espiritual deveriam estar em paz consigo mesmos e sempre felizes. Qualquer forma de miséria mental ou física indica a presença do pecado.

P – Nomeie algumas das formas comuns de pecado.

R – Comer em excesso é uma forma de pecado porque leva à perda da saúde e à miséria.

O excesso de sexo é um pecado porque quebra a força de vontade da pessoa e a leva para o hábito da alienação.

Permitir que a mente seja dominada por pensamentos negativos de inveja, ganância, medo, ódio, intolerância, vaidade, autopiedade ou desencorajamento é uma forma de pecado, porque esses estados mentais levam para o hábito da alienação.

Enganar, mentir e roubar também são pecados, porque esses hábitos destroem o autorrespeito, submetem a consciência e levam à infelicidade.

É um pecado também permanecer nas trevas da ignorância, porque a falta de conhecimento leva à pobreza e à perda da autoconfiança.

É um pecado aceitar da vida qualquer coisa que não se queira, porque isso indica uma forma imperdoável de negligenciar o uso da mente.

P – É um pecado alienar-se através da vida, sem um objetivo definido, plano ou propósito?

R – Sim, porque esse hábito leva à pobreza e destrói o privilégio da autodeterminação. Ele também priva uma pessoa do privilégio de usar a sua própria mente como um meio de contato com a Inteligência Infinita.

P – Você é o inspirador chefe do pecado?

R – Sim! O meu negócio, como eu já disse, é ganhar o controle das mentes das pessoas de todos os meios possíveis.

P – Você consegue controlar a mente de uma pessoa que não comete pecados?

R – Não consigo, porque essa pessoa nunca permite que sua mente seja dominada por qualquer forma de pensamento negativo. Não consigo entrar na mente de quem não peca, muito menos controlá-la.

P – Quais são as formas mais comuns e mais destrutivas de todos os pecados?

R – Medo e ignorância.

P – Você não tem mais nada para acrescentar à lista?

R – Nada mais a acrescentar.

P – O que é a fé?

R – É um estado da mente em que se reconhece e se utiliza o poder do pensamento positivo, como um meio pelo qual se contata e se chega à fonte central da inteligência universal.

P – Em outras palavras, a fé é a ausência de todas as formas de pensamento negativo. Seria essa a ideia?

R – Sim, essa é outra forma de descrevê-la.

P – Um alienado tem capacidade de usar a fé?

R – Ele pode ter a capacidade de usar, mas não utiliza. Todo mundo tem a força potencial para limpar a sua mente de todos os pensamentos negativos, e dessa forma utilizar-se do poder da fé.

P – Colocando de outra forma, a fé é a definição de propósito amparada pela crença na obtenção do objetivo desse propósito. Isso está correto?

R – Essa é a ideia, exatamente.

CAPÍTULO DEZ

AUTODISCIPLINA

P – A que tipo de preparação uma pessoa deve se submeter antes de ser capaz de avançar com definição de propósito?

R – A pessoa deve ter *domínio sobre si mesma.* Esse é o segundo dos sete princípios. A pessoa que não domina a si mesma jamais poderá ser líder de outras. A falta de autodomínio é por si só a forma mais destrutível de indefinição.

P – Por onde uma pessoa deve começar quando ela quer iniciar um controle sobre si mesma?

R – Dominando os três apetites responsáveis pela maior parte da falta de autodisciplina das pessoas. Os três apetites são o desejo por comida, o desejo pela expressão do sexo e o desejo de expressar opiniões imprecisas.

P – O homem tem outros apetites que ele necessita controlar?

R – Sim, muitos outros, mas esses três são os que devem ser conquistados primeiro. Quando um homem torna-se mestre desses três desejos, ele desenvolveu autodisciplina suficiente para conquistar todos aqueles desejos de menor importância.

P – Mas esses desejos são naturais. Eles devem ser satisfeitos se a pessoa está saudável e feliz.

R – Tenha certeza de que eles são desejos naturais, mas eles também são perigosos porque as pessoas que não têm autodomínio têm uma tendência a se alienarem nesses desejos, tornando-os vícios. O autodomínio contempla um controle suficiente tal que todos os desejos podem ser satisfeitos de forma a cumprir com as necessidades básicas, alimentando o corpo com o que é necessário e segurando aquilo que é excesso.

P – O seu ponto de vista é tanto interessante quanto educacional. Descreva os detalhes pelos quais eu possa entender como e em quais circunstâncias as pessoas se excedem nos seus desejos.

R – Pegue o desejo por comida, por exemplo. A maioria das pessoas é tão fraca na autodisciplina que enche o estômago com combinações de alimentos altamente ricos, que por sua vez satisfazem o gosto, mas fazem com que os órgãos da digestão e da eliminação trabalhem em excesso. Elas colocam em seus estômagos tanto quantidade quanto combinações de comidas que a química do corpo somente consegue descartar convertendo a comida em toxinas venenosas. Esses venenos entopem e ficam estagnados no sistema excretor do organismo, até o momento em que ele diminui o trabalho do organismo na eliminação dessa matéria de sobra. Após um tempo, o sistema gastrointestinal para de funcionar de forma saudável e a vítima acaba tendo o que se chama de "constipação". A partir daí, ela está pronta para ir para o hospital. A autointoxicação pelo sistema gastrointestinal leva a máquina do cérebro a tornar-se algo como uma massa disforme. A vítima então fica lenta nos seus movimentos físicos e mentalmente irritada e irrequieta. Se essa pessoa pudesse dar uma olhada e pudesse sentir o cheiro do seu sistema gastrointestinal, ela teria vergonha de se olhar no espelho. Os sistemas excretores das cidades não são os lugares mais agradáveis quando eles tornam-se sobrecarregados ou entupidos, mas eles são limpos e suaves quando comparados ao sistema gastrointestinal quando está sobrecarregado ou constipado. Essa não é uma história bonita para ser associada ao ato agradável e necessário de comer, mas as coisas são como são, e nesse caso conclui-se que comer em demasia e combinar alimentos de forma errada é o que causa a autointoxicação. As pessoas que comem sabiamente e mantêm os seus sistemas excretores limpos dificultam o meu trabalho, porque um sistema intestinal em perfeito funcionamento significa um corpo saudável e um cérebro que funciona de forma apropriada. Imagine – se a sua imaginação consegue chegar a tal ponto – como qualquer ser humano poderia mover-se com definição de propósito com o seu sistema intestinal com uma quantidade tal de "veneno" o suficiente para matar cem pessoas, se fosse injetado diretamente na corrente sanguínea.

P – E todo esse problema é o resultado da falta de controle sobre o apetite por comida?

R – Bem, se você deseja ser absolutamente correto, deveria dizer que comer de forma inapropriada é o grande responsável pela grande maioria das doenças do corpo, e praticamente todas as dores de cabeça. Se você quer prova disso, selecione cem pessoas que sofrem com enxaqueca e dê a cada uma delas uma lavagem intestinal completa, com um grande enema, e observe que não menos do que 95% das dores de cabeça desaparecerão dentro de alguns minutos, após os seus intestinos terem sido liberados.

P – Por tudo que você diz sobre o trato intestinal, tenho a impressão de que o domínio sobre o apetite físico por comida significa também o domínio sobre o hábito de negligenciar e manter os intestinos limpos. Isso está correto?

R – Sim, isso é verdade. Tão importante quanto eliminar o lixo do organismo e as porções não utilizadas de comida é ingerir as quantidades corretas, bem como as combinações adequadas de alimentos.

P – Nunca pensei na autointoxicação como sendo um dos seus instrumentos para controlar as pessoas e estou totalmente chocado de saber quantas pessoas são vítimas desse sutil inimigo. Vamos ouvir o que você tem a dizer desses outros dois desejos.

R – Bem, vamos falar do desejo por sexo. Essa é uma força com a qual controlo os fracos e os fortes, os velhos e os jovens, os ignorantes e os sábios. Na verdade, domino todos aqueles que negligenciam em dominar o desejo por sexo.

P – Como se pode dominar a emoção do sexo?

R – Pelo simples processo de transmutar essa emoção em alguma forma de atividade que não seja a cópula. Sexo é uma das grandes forças que motivam os seres humanos. Devido a esse fato, ela também é uma das forças mais perigosas. Se os seres humanos conseguissem controlar os seus desejos por sexo e os transmutassem em uma força propulsora pela qual eles conseguissem utilizar em suas ocupações, ou seja, se eles gastassem no seu trabalho metade do tempo que eles perdem à procura de sexo, eles nunca conheceriam a pobreza.

P – Pelo que estou entendendo, quer dizer que existe uma relação entre sexo e pobreza?

R – Sim, onde o sexo não está sob controle. Se for permitido ao sexo mover-se em seu curso natural, ele rapidamente levará a pessoa ao hábito da alienação.

P – Existe alguma relação entre sexo e liderança?

R – Sim, todos os grandes líderes, em todos os caminhos da vida, são altamente sexuados, mas eles seguem o hábito de controlar os seus desejos por sexo, transformando-os em uma força propulsora que os motiva nas suas ocupações.

P – O hábito da indulgência, no sexo, é tão perigoso quanto o hábito de utilizar drogas ou bebidas?

R – Não há diferença entre esses hábitos. Ambos levam para o controle hipnótico, por meio do hábito da alienação.

P – Por que o mundo olha para o sexo como algo vulgar?

R – Devido ao abuso vulgar que as pessoas fizeram dessa emoção. Não é o sexo que é vulgar. É o indivíduo que negligencia ou se recusa a controlá-lo e guiá-lo.

P – Você quer dizer, pela sua afirmação, que não se deve satisfazer o desejo por sexo?

R – Não, eu quero dizer que sexo, como todas as outras forças disponíveis para o homem, deve ser entendido, dominado e feito para servir ao homem. O desejo por sexo é tão natural quanto o desejo por comida. Esse desejo não pode ser aniquilado, assim como não se pode parar um rio de fluir. Se a emoção do sexo fosse desligada de seu modo de expressão natural, ela se quebraria em outras formas menos desejáveis, assim como um rio, se represado, procura quebrar e fluir na volta da represa. A pessoa que tem autodisciplina entende a emoção do sexo, a respeita e aprende a controlar e a transmutá-la em atividades construtivas.

P – Quais são os prejuízos decorrentes do desejo excessivo de sexo?

R – O maior dos danos é que ele priva a fonte de uma das maiores forças propulsoras do homem e gasta, sem uma compensação adequada, a energia criativa do homem. Ele dissipa a energia necessária pela natureza para manter a saúde física. O sexo é a força terapêutica mais útil da natureza, mas em excesso diminui a energia magnética que é a fonte de uma personalidade atrativa e agradável. Ele remove o brilho dos olhos e acaba gerando discórdia no tom de voz de uma pessoa. Destrói o entusiasmo, acaba com a ambição e leva inevitavelmente para o hábito da alienação, em todos os assuntos.

P – Eu gostaria que você respondesse a minha questão de outra forma, dizendo-me quais os fins benéficos que a emoção do sexo pode trazer, se for dominada e transmutada.

R – O sexo controlado fornece a força magnética que atrai as pessoas uma para a outra. É o fator mais importante de uma personalidade agradável.

Ele dá qualidade ao tom de voz e capacita uma pessoa a conseguir, por meio da voz, incitar um sentimento desejado.

Ele serve, melhor do que qualquer coisa, para dar força motivacional aos desejos de uma pessoa.

Ele mantém o sistema nervoso carregado com a energia necessária para dissipar a energia através de todo o corpo, mantendo-o funcionando apropriadamente.

Ele afia a imaginação e capacita uma pessoa para criar ideias úteis. Ele fornece agilidade e definição para os movimentos físicos e mentais.

Ele fornece à pessoa persistência e perseverança na busca por um objetivo maior na vida.

Ele é um grande antídoto para todas as formas de medo. Ele fornece imunidade contra o desencorajamento.

Ele fornece resistência física e mental nos momentos em que se passa por alguma forma de fracasso ou revés.

Ele fornece as qualidades necessárias para lutar sob quaisquer circunstâncias, aumentando a capacidade de autodefesa.

Em resumo, ele faz vencedores, e não perdedores.

P – Essas são todas as vantagens que você afirma estarem relacionadas à energia do sexo controlado?

R – Não, elas são somente alguns dos benefícios mais importantes que ele fornece. Talvez, alguns acreditarão que a maior de todas as virtudes do sexo é que ele é o método do qual a natureza se utiliza para a perpetuação de toda a vida no planeta. Só isso já deve remover todo e qualquer pensamento que leve a crer que o sexo seja algo vulgar.

P – Pelo que estou entendendo, baseado no que você diz, a emoção do sexo é uma virtude, e não uma falha.

R – Ela é uma virtude quando controlada e direcionada para obter fins desejáveis. Ela é uma falha quando negligenciada e quando se permite sair do controle e levar-nos a atos de luxúria.

P – Por que essas verdades não são ensinadas para as crianças por seus pais e pelas escolas?

R – Ambos negligenciam isso porque, na verdade, desconhecem a real natureza do sexo. Para a manutenção da saúde do corpo é tão necessário que se entenda e se use apropriadamente a emoção do sexo quanto é manter o sistema intestinal limpo. Os dois assuntos devem ser ensinados em todas as escolas e em todas as casas onde haja crianças.

P – A maioria dos pais não precisaria de instruções adequadas a respeito das funções e do uso do sexo antes que eles pudessem inteligentemente ensinar as suas crianças?

R – Sim, tanto eles quanto os professores das escolas.

P – Qual seria o grau de importância relativa que você daria para a necessidade de conhecimento apurado sobre o assunto sexo?

R – Está próximo do topo da lista. Há apenas uma coisa de maior importância para os seres humanos, que é pensar com exatidão.

P – Pelo que estou entendendo, você afirma que o conhecimento das reais funções do sexo e a habilidade para pensar com exatidão são as duas coisas de maior importância para o homem?

R – Essa era a minha intenção, para que você entendesse. Pensar com exatidão vem primeiro, porque é a solução para todos os problemas do homem, a resposta para todas as suas orações, a fonte da opulência e de todas as possessões materiais. O pensamento exato é auxiliado pela emoção do sexo propriamente controlada e direcionada, isso porque a mesma energia que o homem usa para pensar ele também usa para o sexo. Ela começa com todos aqueles que desejam ter autodeterminação suficiente para pagar o seu preço. Ninguém consegue estar inteiramente livre – espiritualmente, mentalmente, fisicamente e economicamente – sem aprender a arte do pensamento exato. Ninguém consegue aprender a pensar com exatidão sem incluir, como parte do conhecimento necessário, informações sobre o controle da emoção do sexo por meio da transmutação.

P – Será uma grande surpresa para muitas pessoas saber que existe uma relação íntima entre o pensamento e a emoção do sexo. Conte-nos, agora, sobre o terceiro desejo e vamos ver o que isso tem a ver com autodisciplina.

R – O hábito de expressar opiniões imprecisas e desorganizadas é um dos mais destrutivos. O prejuízo consiste na sua tendência a influenciar as pessoas no ato de adivinhar em vez de procurar pelos fatos, no momento em que elas formam opiniões, criam ideias ou organizam planos. O hábito desenvolve o que eu chamo de uma "mente gafanhoto" – é aquela mente que pula de uma coisa para outra, mas nunca chega a lugar nenhum. E, claro, o descuido na expressão de opiniões que não são baseadas em fatos leva ao hábito da alienação. A partir desse ponto, é somente um passo ou dois até que se estejam amarrados pela Lei do Ritmo Hipnótico, que, por sua vez, automaticamente inibe o pensamento com exatidão.

P – Quais outras desvantagens existem na livre expressão de opiniões?

R – A pessoa que fala demais acaba informando ao mundo todos os seus planos e objetivos e, por sua vez, fornece aos outros a oportunidade de lucrar com as suas ideias. Homens sábios mantêm seus planos para si mesmos e evitam expressar opiniões que não tenham sido solicitadas. Isso previne que outros possam apropriar-se de suas ideias, bem como dificulta o acesso de outros aos seus planos, diminuindo assim as interferências desnecessárias.

P – Por que tantas pessoas insistem no hábito de expressar opiniões não solicitadas?

R – Esse hábito, na verdade, inclui em si mesmo um modo de expressar egocentrismo e vaidade. O hábito da autoexpressão é inerente às pessoas. O motivo por trás do hábito é atrair a atenção de outros e impressioná-los favoravelmente. Na verdade, ele tem justamente o efeito contrário. Quando aquele que se convida a falar atrai a atenção, geralmente ele atrai para si condições desfavoráveis.

P – Sim, quais são as outras desvantagens desse hábito?

R – A pessoa que insiste em falar demais raramente tem a oportunidade de aprender ouvindo outros.

P – Mas não é verdade que um orador que tenha uma aura magnética normalmente coloca-se no caminho da oportunidade para beneficiar

a si mesmo atraindo a atenção de outros por meio do poder da sua oratória?

R – Sim, um orador que tenha o dom da fala realmente tem um ativo de tremendo valor na habilidade de impressionar as pessoas pelo seu discurso, mas não consegue fazer o melhor uso desse ativo se forçar o seu discurso em pessoas que não solicitaram a sua fala. Nenhuma outra qualidade acrescenta mais à personalidade de uma pessoa do que a habilidade de falar com emoção, força e convicção. Mas um orador jamais deve impor o seu discurso sobre outros sem ter sido convidado a fazê-lo. Há um velho ditado que diz que nada vale mais do que o seu verdadeiro custo. Isso se aplica tanto para a livre expressão de opiniões que não são bem-vindas quanto para as coisas materiais.

P – E sobre as pessoas que expressam as suas opiniões de forma voluntária por meio da escrita, elas também sofrem da falta de autodisciplina?

R – Uma das piores pestes presentes na Terra é a pessoa que escreve cartas deliberadamente para pessoas públicas de alta proeminência. Políticos, estrelas do cinema, homens que foram bem-sucedidos nos seus negócios, ou até mesmo escritores de livros *best-sellers*, e ainda pessoas cujos nomes aparecem seguidamente nos jornais, são frequentemente assediados por aqueles que escrevem cartas expressando as suas opiniões dos mais diversos assuntos.

P – Mas escrever cartas não solicitadas é uma forma inofensiva de encontrar o prazer por meio da autoexpressão, não é? Que tipo de dano uma pessoa pode causar por esse hábito?

R – Hábitos são contagiosos. Todo hábito atrai um conjunto de hábitos relacionados. O hábito de fazer qualquer coisa que seja inútil leva à formação de outros hábitos que também são inúteis, especialmente o hábito da alienação. Mas esses não são todos os perigos associados com o hábito do prazer de escrever opiniões não solicitadas. O hábito cria inimigos e coloca em suas mãos armas perigosas que podem causar grandes transtornos àqueles que insistem em mantê-las. Ladrões, estelionatários e vigaristas pagam altos preços pelos nomes e endereços de escritores desse tipo de cartas, porque, conhecendo-os como eles os conhecem, acabam tornando-se vítimas fáceis de todas as formas de esquemas que resultam na perda do seu dinheiro. Eles referem-se aos escritores de tais cartas como "doidos". Se você deseja saber o quão idiotas essas pessoas são, leia a seção de cartas de leitores de qualquer jornal – a coluna na qual o jornal publica opiniões voluntárias de seus leitores – e você verá por si mesmo como os escritores de tais cartas antagonizam pessoas e trazem para si a oposição de muitas outras.

P – Eu não tinha ideia, Sua Majestade, de que as pessoas podem criar tanta confusão apenas expressando opiniões não solicitadas, mas, agora que você trouxe o assunto à tona, lembro-me de ter escrito para o editor de uma proeminente revista uma carta de crítica, que obviamente não havia sido solicitada, e que no futuro custou-me um belo trabalho e um emprego na sua empresa, que me geraria um alto salário.

R – Esse exemplo é perfeito. O lugar adequado para começar a autodisciplina é exatamente onde você está. O modo para começar é exatamente reconhecendo a verdade de que não existe nada para sempre ou nada de diabólico exceto o poder da lei natural, em toda a criação e em todos os universos. Não existe nenhuma personalidade individual, onde quer que seja, através de todos os universos, que tenha o mais ínfimo poder para influenciar um ser humano, exceto a natureza e as próprias pessoas, por si mesmas. Não existe ser humano algum, agora, vivendo ou que já tenha vivido, e absolutamente ser humano algum que venha a viver em qualquer ponto do planeta, que tenha o direito ou o poder de privar o outro de seu privilégio de exercitar o pensamento livre e independente. Esse privilégio é o único sobre o qual qualquer pessoa pode ter controle absoluto. Nenhum ser humano adulto jamais perde o direito da liberdade de pensamento, mas muitos perdem os benefícios desse privilégio, ou por negligenciá-lo ou porque já foi tirado deles por seus pais ou instrutores, antes mesmo da idade do entendimento. Essas verdades são autoevidentes, não menos importantes, pelo simples fato de terem sido reveladas a você pelo Diabo, e não pela minha oposição.

P – Mas no que as pessoas vão se sustentar no momento de uma emergência quando elas não souberem para onde nem a quem apelar?

R – Deixe que elas se apoiem na única fonte de força disponível para qualquer ser humano.

P – E o que é essa força?

R – Eles mesmos! A força de seus próprios pensamentos. A única força que eles podem controlar e na qual eles devem se sustentar. A única força que não pode ser nunca pervertida, modificada, mexida e falsificada por outros seres humanos mal-intencionados.

P – Tudo que você diz parece lógico, mas por que eu deveria vir justamente para o Diabo para descobrir tais verdades tão profundas? Vamos voltar para os sete princípios. Você revelou informação suficiente que mostra claramente que o segredo de como quebrar o poder do ritmo hipnótico está justamente embutido nos sete princípios. Você mostrou também que o mais importante de todos esses princípios é a autodisciplina. Agora, vá em frente e descreva os outros cinco princípios que você ainda não mencionou, e indique quais as suas funções para auxiliar uma pessoa a adquirir a autodisciplina.

R – Primeiro, deixe-me resumir essa parte da minha confissão revelada até o presente momento. Eu lhe contei francamente que meus dois instrumentos mais efetivos para dominar os seres humanos são o hábito da alienação e a Lei do Ritmo Hipnótico. Mostrei a você que se alienar não é uma lei natural, mas um hábito feito pelo homem que o leva, por sua vez, a submeter-se à Lei do Ritmo Hipnótico. Os sete princípios são os meios pelos quais o homem pode quebrar o padrão do ritmo hipnótico e assumir novamente o controle de sua própria mente. Como você pode ver, dessa forma os sete princípios são os sete passos que levam as vítimas do ritmo hipnótico a abrir a fechadura de suas prisões autoimpostas.

P – Os sete princípios são a chave mestra que abre as portas para a autodeterminação espiritual, mental e econômica? Isso é verdade?

R – Sim, essa é outra forma de dizer a verdade.

CAPÍTULO ONZE

APRENDENDO COM A ADVERSIDADE

P – O fracasso, em algum momento, é um benefício para o homem?

R – Sim. Na verdade, aprender com a adversidade é o terceiro dos sete princípios. Mas poucas pessoas sabem que cada adversidade traz consigo a semente de uma vantagem equivalente. Menos pessoas ainda sabem a diferença entre derrota temporária e fracasso. Se esse conceito fosse de conhecimento geral, eu seria privado de uma das minhas armas mais poderosas, que uso para controlar os seres humanos.

P – Mas entendi que você disse que o fracasso é um dos seus grandes aliados. Tive a impressão, baseado na sua confissão, de que o fracasso faz com que as pessoas percam a ambição e parem de tentar, aí então você as controla sem nenhum tipo de dificuldade ou oposição por parte delas.

R – Esse é justamente o ponto. Assumo o poder sobre elas justamente no momento em que elas desistem de tentar. Se elas soubessem a diferença entre derrota temporária e fracasso, elas não desistiriam quando encontrassem adversidades na vida. Se soubessem que cada forma de derrota, e todos os fracassos, trazem consigo a semente de uma nova oportunidade, elas se manteriam lutando e acabariam por vencer. O sucesso normalmente está a um passo muito curto além do ponto em que se desiste de lutar.

P – Isso é tudo o que se pode aprender da adversidade, derrota e fracasso?

R – Não, esse é o mínimo que alguém pode aprender. Detesto dizer isso, mas o fracasso normalmente serve como uma benção disfarçada, porque ele quebra o padrão do ritmo hipnótico e faz com que a mente se liberte para um novo começo.

P – Agora estamos chegando a algum lugar. Então, você confessou, finalmente, que mesmo a lei natural do ritmo hipnótico pode ser e normalmente é anulada pela própria natureza. Isso está correto?

R – Não, essa não é a forma correta e exata de abordar esse assunto. A natureza nunca anula nenhuma de suas leis naturais. A natureza nunca tira a liberdade de pensamento de um ser humano pela Lei do Ritmo Hipnótico. O indivíduo abdica de sua liberdade pelo abuso dessa lei. Se um homem pulasse de uma árvore e fosse morto pelo abrupto impacto de seu corpo com a Terra, pela Lei da Gravidade, você não diria que a natureza o assassinou, diria? Você diria que o homem negligenciou no ato de relacionar-se apropriadamente com a Lei da Gravidade.

P – Estou começando a entender. A Lei do Ritmo Hipnótico é tanto capaz de ser utilizada pelo lado negativo quanto pelo positivo. Ela pode levar uma pessoa para as profundezas, chegando à escravidão, pela perda do privilégio da liberdade de pensamento, ou ela pode ajudar uma pessoa a alcançar o topo de suas realizações, por meio do livre uso dos seus pensamentos, dependendo da forma como o indivíduo se relaciona com a lei. Isso está correto?

R – Agora você está conseguindo entender.

P – E sobre o fracasso? Uma pessoa não fracassa intencionalmente, pensando deliberadamente em falhar. Ninguém estimula a derrota temporária. Essas são circunstâncias sobre as quais o indivíduo não tem qualquer tipo de controle. Como, então, pode-se dizer que a natureza não tira a liberdade de pensamento quando na verdade

o fracasso destrói a ambição, a força de vontade e autoconfiança essencial para se fazer um novo começo?

R – O fracasso é uma circunstância feita pelo homem. Ele nunca é real, até que seja aceito pelo homem como algo permanente. Colocando-se de outra forma, o fracasso é um estado de espírito; por isso é algo que um indivíduo pode controlar até o momento em que ele se nega a exercitar esse privilégio. A natureza não força as pessoas a fracassarem. Mas a natureza impõe a sua Lei do Ritmo Hipnótico sobre todas as mentes, e por meio dessa lei ela mantém permanentemente todos os pensamentos que dominam essas mentes. Em outras palavras, pensamentos de fracasso são tomados pela Lei do Ritmo Hipnótico e feitos permanentes, se o indivíduo aceita tais circunstâncias como sendo um fracasso permanente. Essa mesma lei, de forma inexorável, também assume e faz com que se tornem permanentes os pensamentos de sucesso.

P – Qual o papel, então, que tem o fracasso em ajudar um indivíduo a quebrar o padrão do ritmo hipnótico após essa lei estar impregnada na mente dessa pessoa?

R – O fracasso traz consigo um clímax, no qual uma pessoa tem o privilégio de limpar a sua mente do medo e fazer um novo começo, seguindo outra direção. O fracasso prova conclusivamente que algo está errado com os objetivos e planos da pessoa, por meio dos quais os mesmos objetivos e planos são perseguidos. O fracasso é o ponto final do hábito que a pessoa tem seguido, e, quando é alcançado, ele força a pessoa a deixar esse caminho e seguir por outro, fazendo com que ela crie um novo ritmo para a sua vida. Mas o fracasso faz mais do que isso, ele dá ao indivíduo uma oportunidade para testar a si mesmo, pela qual pode aprender o quanto de força de vontade ele tem. O fracasso também força as pessoas a aprenderem muitas verdades que elas nunca descobririam sem ele. O fracasso normalmente leva o indivíduo a entender a força da autodisciplina, sem a qual ninguém poderia voltar atrás após ter sido vítima do ritmo hipnótico. Estude as vidas de todas as pessoas que atingiram resultados fantásticos, em qualquer ramo de atividade, e observe que o seu sucesso é, em geral, diretamente proporcional às experiências de derrota e fracasso que elas vivenciaram antes de ser bem-sucedida.

P – Isso é tudo que você tem a dizer sobre as vantagens do fracasso?

R – Não, eu recém comecei. Se você quer o real significado da adversidade, do fracasso, da derrota e de todas as outras experiências que quebram os hábitos dos seres humanos e os forçam a formar novos hábitos, observe a natureza em seu trabalho. A natureza usa a doença para quebrar o ritmo físico do corpo, quando a relação entre as células e os órgãos torna-se imprópria. Ela usa crises econômicas para quebrar o ritmo do pensamento em massa, quando um grande número de pessoas relaciona-se impropriamente – por meio de negócios, atividades sociais e políticas. E ela usa o fracasso para quebrar o ritmo do pensamento negativo, quando um indivíduo relaciona-se impropriamente consigo mesmo e com sua própria mente. Observe cuidadosamente e você verá que, em todos os lugares da natureza, sempre há uma lei natural que fornece uma eterna mudança para toda matéria, toda energia e todo poder do pensamento. A única coisa permanente em todos os universos é a mudança. A mudança eterna e inexorável é aquela por meio da qual cada átomo da matéria e cada unidade de energia tem a oportunidade de relacionar-se apropriadamente com outras unidades de matéria e energia, e cada ser humano tem a oportunidade e o privilégio de relacionar-se apropriadamente com todos os outros seres humanos, independentemente de quantos erros ele cometa, ou quantas vezes e de que maneiras ele possa ser derrotado. Quando o fracasso em massa toma conta de uma nação, tal como a crise econômica mundial de 1929, essa circunstância está em perfeita harmonia com os planos da natureza de quebrar os hábitos dos homens e, por sua vez, fazer florescer novas oportunidades.

P – O que você está dizendo me intriga muito. Pelo que estou entendendo, o ritmo hipnótico tem algo a ver com a forma como as pessoas se relacionam umas com as outras?

R – Essa coisa evasiva e abstrata chamada caráter nada mais é do que uma manifestação da Lei do Ritmo Hipnótico. Por isso, quando se fala do caráter de alguém, seria mais apropriado dizer-se que os seus hábitos de pensamento foram cristalizados em uma personalidade positiva ou negativa, por meio da Lei do Ritmo Hipnótico. Uma pessoa é boa ou ruim devido à fusão dos seus pensamentos com as suas ações, por meio dessa lei. Uma pessoa é presa pela pobreza ou abençoada com a abundância devido às suas aspirações, planos e desejos, ou à falta deles, que por sua vez são feitos permanentes e reais pelo ritmo hipnótico.

P – Isso é tudo que você tem a dizer a respeito da conexão entre o ritmo hipnótico e as relações humanas?

R – Não, eu apenas comecei. Lembre-se de que, enquanto estou falando, estou mencionando a influência do ritmo hipnótico em conexão com todas as relações humanas. As pessoas que são bem-sucedidas nos negócios o são inteiramente devido à forma como se relacionam com os seus sócios e com todos os outros no seu círculo de negócios. Profissionais que são bem-sucedidos o são prioritariamente devido à forma como eles se relacionam com os seus clientes. É muito mais importante para o advogado conhecer as pessoas e conhecer as leis da natureza do que conhecer propriamente a lei jurídica. E o médico acaba sendo um fracasso antes mesmo de começar, a menos que ele conheça como relacionar-se com os seus pacientes e como estabelecer a fé destes nele mesmo. Um casamento fracassa ou é bem-sucedido inteiramente devido à maneira como os participantes relacionam-se uns com os outros. Um relacionamento apropriado no casamento começa inicialmente com um motivo para casar-se. A maioria dos casamentos não traz felicidade para o casal, porque ambos não entendem, nem fazem questão de entender, a Lei do Ritmo Hipnótico, por meio de sua ação, em que cada palavra que eles dirigem um ao outro, cada ato que eles fazem e cada motivo que os leva a lidar um com o outro faz parte de uma rede que pode trazer-lhes controvérsias e miséria ou dar-lhes asas para a liberdade, por meio da qual ambos conseguem sobrevoar todas as formas de infelicidade.

Cada nova amizade que ocorre entre as pessoas pode acabar em uma amizade verdadeira, e então em uma harmonia espiritual (algumas vezes chamada amor), ou planta uma semente de suspeita e dúvida, que acaba evoluindo e crescendo para uma rebelião aberta, de acordo com a forma como os participantes nessa amizade relacionam-se uns com os outros. O ritmo hipnótico simplesmente pega as motivações dominantes, as aspirações, os objetivos e os sentimentos dessas mentes em contato e os transforma de alguma forma em fé ou medo, amor ou ódio. Após o padrão ter tomado forma, o que ocorre com o tempo, ele é imposto sobre essas mentes que estão em contato e torna-se parte delas. Nessa forma silenciosa, a natureza faz com que sejam permanentes os fatores dominantes de cada ser humano. Em cada relacionamento humano, as motivações e as ações vis desses indivíduos que estão em contado são coordenadas e consolidadas em uma forma definida e costuradas neste tão importante traço humano conhecido como caráter. Da mesma maneira, as motivações e as ações boas, virtuosas, são consolidadas e impostas sobre o indivíduo. Você pode ver que, por isso, não são somente as ações de uma pessoa, mas também os pensamentos dela, que determinam a natureza de todas as relações humanas.

P – Você está entrando em águas profundas. Vamos manter nossa conversa perto da costa, onde posso segui-lo sem ter medo de afundar. Vá em frente e conte-me como os relacionamentos humanos realmente funcionam em um mundo tão cheio de problemas tal como temos hoje.

R – Esse é um pensamento feliz. Mas deixe-me ter certeza de que você está entendendo os princípios que estou revelando, antes que eu tente mostrar a você como aplicá-los nos princípios da vida. Desejo ter certeza de que você entende a Lei do Ritmo Hipnótico e que ela é algo que não se pode controlar, influenciar ou escapar. Mas todo mundo pode relacionar-se com essa lei de forma a beneficiar-se da forma inexorável como ela trabalha. Um relacionamento harmonioso com a lei consiste em um indivíduo modificar completamente os seus hábitos, de tal forma que ele consiga ser claro naquilo que ele realmente deseja e está disposto a aceitar. Ninguém pode modificar a Lei do Ritmo Hipnótico, assim como ninguém pode modificar a Lei da Gravidade, mas todo mundo pode modificar a si mesmo. Lembre-se, contudo, que em resumo todos os relacionamentos humanos são feitos e mantidos pelos hábitos dos indivíduos relacionados. A Lei do Ritmo Hipnótico executa o papel de solidificar os fatores que constituem as relações humanas, mas ela não cria esses fatores. Antes de irmos mais adiante com a discussão dos relacionamentos humanos, quero que você tenha um claro entendimento da mente subconsciente. O termo "mente subconsciente" representa um hipotético órgão físico que, na verdade, não tem existência real. A mente do homem consiste de energia universal (alguns chamam de Inteligência Infinita), que o indivíduo recebe, da qual se apropria e a qual organiza em formas definidas de pensamento, por meio de um aparato físico completo conhecido como cérebro. Essas formas de pensamento são réplicas de vários estímulos que chegam ao cérebro pelos cinco sentidos, e do sexto sentido, que ainda não é bem conhecido. Quando qualquer forma de estímulo alcança o cérebro e toma a forma definida de um pensamento, ele é classificado e armazenado em um grupo de células cerebrais conhecido como grupo da memória. Todos os pensamentos de natureza similar são armazenados juntos, de tal forma que, quando se traz um pensamento, este mesmo leva facilmente ao contato de todos os outros pensamentos associados a ele. Esse sistema é muito similar à forma de armazenamento moderna de arquivos e também é operado de forma similar. As impressões de pensamento, as quais uma pessoa mescla com a maior quantidade de emoções (ou sentimentos), são os fatores dominantes do cérebro, porque eles estão sempre próximos da superfície – no topo do sistema de armazenamento, vulgarmente falando –, onde eles entram em ação voluntariamente, no momento em que o indivíduo se nega a exercitar a autodisciplina. Esses pensamentos cheios de emoção são tão poderosos que frequentemente fazem com que o indivíduo se coloque em ação e se motive a fazer coisas que não seriam aprovadas pela faculdade da razão. Essas explosões emocionais normalmente destroem a harmonia em todos os relacionamentos humanos. O cérebro normalmente traz consigo combinações de sentimentos e emoções tão poderosas que acabam assumindo o controle e deixando a razão de lado. Em todas essas ocasiões, os relacionamentos humanos estão fadados a perder a harmonia.

Por meio do funcionamento do sexto sentido, o cérebro de um ser humano pode contatar o arquivo de outros cérebros e inspecionar quaisquer impressões que estejam presentes nele. A condição pela qual uma pessoa consegue contatar e inspecionar o arquivo do cérebro de outra pessoa é geralmente conhecida como harmonia, mas você pode entender melhor o que isso quer dizer se eu disser que cérebros que estão sintonizados pelas mesmas vibrações de pensamento podem facilmente e rapidamente exercitar o privilégio de entrar e inspecionar os arquivos de pensamentos uns dos outros. Além de receber pensamentos organizados de arquivos de outros cérebros por meio do sexto sentido, uma pessoa pode, por meio desse mesmo órgão físico, contatar e receber informações da fonte central, conhecida como Inteligência Infinita.

Todas as informações que chegam ao cérebro de uma pessoa pelo sexto sentido provêm de fontes que não são facilmente rastreadas e isoladas; por isso esse tipo de informação – acredita-se – vem geralmente da mente subconsciente da pessoa. O sexto sentido é o órgão do cérebro por meio do qual se recebem todas as informações, todo o conhecimento, todas as impressões de pensamento que não vêm por meio de um ou de todos os cinco sentidos.

Agora que você compreende como a mente funciona, entenderá mais facilmente como e por que as pessoas acabam gerando tristeza e desarmonia em relacionamentos humanos impróprios. Você também entenderá como os relacionamentos humanos podem ser idealizados para angariar riquezas na sua mais alta forma, riquezas materiais, mentais e espirituais.

Além disso, você compreenderá que nunca pode haver felicidade exceto pelo entendimento e pela aplicação dos princípios corretos das relações humanas. Entenderá também que nenhum indivíduo é uma entidade em si mesma, e que só se pode conseguir uma mente plena pela harmonia de objetivos e ações entre duas ou mais mentes. Entenderá por que cada ser humano deveria, por sua própria escolha, tornar-se o guardião do seu irmão, tanto de fato como em teoria.

P – O que você diz pode ser verdade, mas ainda insisto que você tem me levado para as profundezas do pensamento. Vamos voltar para a superfície, onde eu possa nadar em águas familiares. Nadaremos nas águas profundas após eu aprender a nadar com maestria. Começamos discutindo o assunto de como lucrar com a adversidade, mas me parece que perdemos o foco desse assunto.

R – Fizemos um desvio, mas não nos alienamos. O Diabo nunca se aliena. O desvio era necessário para que você se preparasse para entender a parte mais importante de toda esta entrevista.

Agora estamos prontos para voltar à discussão sobre adversidade. Visto que a maior parte das adversidades ocorre devido a relações impróprias entre as pessoas, me parece importante que você entenda como as pessoas podem relacionar-se apropriadamente.

Naturalmente, levanta-se a questão de o que é uma relação apropriada entre as pessoas. A resposta é que um relacionamento apropriado é aquele que traz a todos que estão ligados a ele ou afetados por ele alguma forma de benefício.

P – O que então é um relacionamento impróprio?

R – Qualquer relacionamento entre pessoas que cause dano ou traga qualquer forma de miséria ou infelicidade para qualquer um dos envolvidos.

P – Como podem relacionamentos impróprios ser corrigidos?

R – Pela mudança da mente da pessoa que está causando o relacionamento impróprio ou pela mudança das pessoas envolvidas no relacionamento. Algumas mentes harmonizam-se naturalmente, enquanto outras colidem da mesma forma. Relacionamentos humanos bem-sucedidos, e que são feitos para durar como tal, devem ser formados de mentes que naturalmente se harmonizem, além de ter interesses comuns como um meio de trazê-los para a harmonia.

Quando você fala de líderes de negócio que são bem-sucedidos porque "sabem como escolher homens", você pode mais corretamente dizer que eles são bem-sucedidos porque sabem como associar mentes que se harmonizam naturalmente. Saber como escolher pessoas de forma bem-sucedida, para qualquer objetivo definido na vida, é uma habilidade desenvolvida para reconhecer os tipos de pessoas cujas mentes naturalmente se harmonizam.

P – Por favor, fique focado na adversidade. Se há possíveis benefícios a serem encontrados por meio da adversidade, nomeie-os.

R – A adversidade livra as pessoas da vaidade e do egocentrismo. Ela desencoraja o egoísmo, provando que nenhum indivíduo pode ser bem-sucedido sem a cooperação de outros.

A adversidade força o indivíduo a testar a sua força mental, física e espiritual; portanto, ela traz o indivíduo face a face com suas fraquezas e dá a ele a oportunidade de transpô-las.

A adversidade força uma pessoa a procurar caminhos e meios para fins definidos, por meio da meditação e do pensamento introspectivo. Isso regularmente leva à descoberta e ao uso do sexto sentido, por meio do qual a pessoa consegue comunicar-se com a Inteligência Infinita.

A adversidade força uma pessoa a reconhecer a necessidade de uma inteligência que não está disponível dentro de sua própria mente, mas provém de fontes externas.

A adversidade quebra velhos hábitos de pensamento e dá para a pessoa a oportunidade de formar novos hábitos; por isso, ela pode servir para quebrar o ciclo do ritmo hipnótico e mudar o seu funcionamento de negativa para fins positivos.

P – Qual o maior benefício que uma pessoa pode receber da adversidade?

R – O maior benefício da adversidade é que ela pode, e geralmente o faz, forçar uma pessoa a mudar os seus hábitos de pensamento, quebrando e redirecionando a força do ritmo hipnótico.

P – Em outras palavras, o fracasso é sempre uma benção quando ele força a pessoa a adquirir conhecimento ou para construir hábitos que levam à realização dos maiores objetivos da vida de uma pessoa. Isso está correto?

R – Sim, e algo mais! O fracasso é uma benção quando ele força a pessoa a depender menos das forças materiais e mais das forças espirituais.

Muitos seres humanos descobrem os seus "outros eus" – as forças que operam pelo poder do pensamento – somente após alguma catástrofe que os priva do livre e total uso dos seus corpos físicos. Quando um homem não consegue mais usar as suas mãos e os seus pés, ele geralmente começa a usar o seu cérebro; assim, coloca-se no caminho de descobrir o poder de sua própria mente.

P – Quais benefícios são obtidos a partir da perda de coisas materiais – dinheiro, por exemplo?

R – A perda de coisas materiais pode ensinar muitas lições necessárias, contudo, nenhuma tão grande quanto a de não ter controle sobre nada e de não ter certeza do uso permanente de qualquer coisa, exceto o poder do seu pensamento.

P – Fico imaginando se esse não é o maior benefício disponível que se pode aprender da adversidade.

R – Não. O maior de todos os benefícios potenciais de qualquer circunstância que leve uma pessoa a fazer um novo começo é fornecer uma oportunidade para quebrar o equilíbrio do ritmo hipnótico e acabar desenvolvendo um novo parâmetro, com novos hábitos de pensamento. Novos hábitos oferecem a única saída para as pessoas que fracassam. A maior parte das pessoas que escapam do funcionamento negativo para o positivo da Lei do Ritmo Hipnótico o faz somente devido a alguma forma de adversidade, que as força a mudar os seus hábitos de pensamento.

P – A adversidade não é um agente potencial para quebrar a autoconfiança e, consequentemente, levar uma pessoa a desistir de ter esperança?

R – Ela tem esse efeito para todas aquelas pessoas cuja força de vontade é fraca, devido a longos hábitos estabelecidos de alienação. Ela tem o efeito oposto em todos aqueles que não foram enfraquecidos pela alienação. O não alienado esbarra com o fracasso ou com a derrota temporária, mas a sua reação para todas as formas de adversidade é positiva. Ele luta em vez de desistir. E acaba ganhando.

A vida não fornece imunidade contra a adversidade, mas a vida fornece a todo mundo o poder do pensamento positivo, que é suficiente para dominar todas as circunstâncias de adversidade e convertê-las em benefícios. O indivíduo tem a prerrogativa e o privilégio de usar ou negligenciar o seu direito de pensar apropriadamente para transpor todas as adversidades. Todo indivíduo é forçado tanto a usar o poder do seu pensamento para a obtenção de fins positivos e definidos como a negligenciar e usar esse poder para obtenção de fins negativos. Não existe acordo nem recusa para o uso da mente.

A Lei do Ritmo Hipnótico força cada indivíduo a dar algum grau de uso, seja negativo, seja positivo, para sua mente, mas não influencia o indivíduo sobre qual dos usos ele deverá fazer.

P – Pelo que estou entendendo, e pelo que você diz, toda adversidade é uma benção?

R – Não, eu não disse isso. Eu disse que existe a semente de uma vantagem equivalente em cada adversidade. Não disse que existe uma flor desabrochada de vantagem, apenas a semente. Geralmente, a semente consiste de alguma forma de conhecimento, alguma ideia ou plano, ou alguma oportunidade que não teria sido disponível, exceto pela mudança dos hábitos de pensamento, que, por sua vez, acabaram sendo forçados pela adversidade.

P – Esses são todos os benefícios disponíveis para os serem humanos advindos do fracasso?

R – Não, o fracasso é usado pela natureza como uma linguagem simples em que ela castiga as pessoas quando estas se negam a se adaptar às suas leis. Por exemplo, a Guerra Mundial foi extremamente destrutiva e feita pelo homem. A natureza plantou nas circunstâncias da guerra a semente de uma reprimenda equivalente, na forma de uma crise econômica mundial. A crise foi inevitável e impossível de escapar. Ela procedeu à guerra tão naturalmente quanto a noite precede o dia, e pelo funcionamento da mesma lei, a Lei do Ritmo Hipnótico.

P – Pelo que estou entendendo, a Lei do Ritmo Hipnótico é a mesma que Ralph Waldo Emerson chamava de Lei da Compensação?

R – A Lei do Ritmo Hipnótico é a Lei da Compensação. É a força com a qual a natureza equilibra as forças negativas e positivas através de todos os universos, em todas as formas de energia, em todas as formas de matéria e em todos os relacionamentos humanos.

P – A Lei do Ritmo Hipnótico opera rapidamente em todas as instâncias? Por exemplo, essa lei imediatamente abençoa uma pessoa com os benefícios da aplicação positiva dos pensamentos ou amaldiçoa com o resultado de pensamentos negativos?

R – Definitivamente, a lei funciona, mas nem sempre é rapidamente. Tanto os benefícios quanto as penalidades incorridas por meio da lei podem ser colhidos por outros, tanto antes quanto após a sua morte.

Pode-se observar que essa lei realmente funciona, porque ela força sobre uma geração de pessoas os efeitos tanto dos pecados quanto das virtudes das gerações precedentes. No funcionamento de todas as leis da natureza, a quarta dimensão, o tempo, é um fator inexorável. A quantidade de tempo consumida pela natureza na relação dos efeitos para suas causas depende em cada momento das circunstâncias presentes. A natureza faz crescer uma abóbora em três meses. Um carvalho leva cem anos para chegar a um bom tamanho. Ela converte um ovo em uma galinha em quatro semanas, mas ela requer nove meses para converter um óvulo de um ser humano em um indivíduo.

CAPÍTULO DOZE

AMBIENTE, TEMPO, HARMONIA E PRECAUÇÃO

P – Agora tenho um maior entendimento das potencialidades da adversidade e do fracasso. Você pode ir em frente agora com a sua descrição do próximo dos sete princípios. Qual o seu próximo princípio?

R – O próximo princípio é a influência do ambiente.

P – Vá em frente e descreva o princípio de como funcionam as influências do meio como fatores determinantes nos destinos humanos.

R – O ambiente, ou o meio, como também pode ser chamado, consiste de todas as forças mentais, espirituais e físicas que afetam e influenciam os seres humanos.

P – Que conexão existe, se é que existe, entre as influências do meio e o ritmo hipnótico?

R – O ritmo hipnótico solidifica e faz com que se tornem permanentes os hábitos de pensamento dos seres humanos. Hábitos de pensamento são estimulados por influências do meio. Em outras palavras, os recursos que alimentam o pensamento vêm do ambiente que está à volta da pessoa. Hábitos de pensamento são feitos permanentes pela Lei do Ritmo Hipnótico.

P – Qual a parte mais importante do meio em que uma pessoa vive, a parte que determina, mais do que todas as outras, se um indivíduo faz uso positivo ou negativo de sua mente?

R – A parte mais importante do meio de uma pessoa é aquela criada pela associação dessa pessoa com outros. Todas as pessoas absorvem e acabam assumindo para si, seja consciente, seja inconscientemente, os hábitos de pensamento daqueles com os quais elas se associam intimamente.

P – Você quer dizer com isso que o contato constante com uma pessoa cujos hábitos de pensamento são negativos influencia a pessoa a formar também hábitos de pensamento negativos?

R – Sim, a Lei do Ritmo Hipnótico força cada ser humano a formar hábitos de pensamento que se harmonizam com as influências dominantes do seu ambiente, principalmente a parte do ambiente criada pela associação com outras mentes.

P – Então é importante que a pessoa selecione com muita cautela aqueles que serão seus associados?

R – Sim, os associados que se relacionam intimamente com a pessoa devem ser escolhidos com tanto cuidado quanto a pessoa escolhe a comida com a qual ela alimenta o seu corpo, mantendo sempre em mente o objetivo de que ela deve associar-se com pessoas cujos pensamentos dominantes são positivos, amigáveis e harmoniosos.

P – Que classe de associados tem a maior influência sobre uma pessoa?

R – Os associados que mais exercem influência sobre a pessoa são o parceiro no casamento, que por sua vez compartilha a casa, e os associados nas ocupações profissionais. Após isso, vêm os amigos íntimos e os conhecidos. Amigos casuais e estranhos exercem pouca influência sobre a pessoa.

P – Por que o parceiro no casamento tem tão grande influência sobre a mente de uma pessoa?

R – Porque o casamento é um relacionamento que traz as pessoas sob a mesma influência de forças espirituais, de tal peso que elas acabam tornando-se as forças dominantes da mente.

P – Como podem as influências ambientais serem usadas para quebrar o equilíbrio do ritmo hipnótico?

R – Todas as influências que estabelecem hábitos de pensamento acabam tornando-se permanentes por meio do ritmo hipnótico. Uma pessoa pode modificar as influências do seu ambiente de tal forma que as influências podem ser positivas ou negativas, e a Lei do Ritmo Hipnótico as tornará permanentes, a menos que elas sejam modificadas pelos hábitos de pensamento.

P – Para colocar essa verdade de outra forma, uma pessoa pode submeter-se a qualquer influência do meio que ela deseje, seja positiva, seja negativa, e a Lei do Ritmo Hipnótico fará com que essa influência se torne permanente quando essa pessoa assumir a magnitude desse hábito de pensamento. É dessa forma que a lei funciona?

R – Isso está correto. Tome cuidado com todas as forças que inspiram pensamentos; estas são as forças que constituem o ambiente e determinam a natureza do destino da pessoa no planeta.

P – Que classe de pessoas consegue ter controle sobre as influências do meio?

R – Os não alienados. Todos aqueles que são vítimas do hábito da alienação perdem a sua força para escolher o seu próprio ambiente. Eles tornam-se vítimas de cada influência negativa do seu meio.

P – Existe alguma saída para o alienado? Existe algum método pelo qual ele possa submeter-se às influências de um ambiente positivo?

R – Sim, há uma saída para os alienados. Eles podem parar de alienar-se, assumir o controle de suas próprias mentes e escolher um ambiente que inspire pensamentos positivos. Isso eles conseguem obter por meio da definição de propósito.

P – Isso é tudo o que há para eliminar o hábito da alienação? Esse hábito é apenas um estado da mente?

R – Alienar-se nada mais é do que um estado negativo da mente, um estado de mente conhecido pela ausência total de propósito.

P – Qual o procedimento mais efetivo que uma pessoa pode seguir para estabelecer um ambiente que seja útil para desenvolver e manter hábitos de pensamentos positivos?

R – O mais efetivo de todos os ambientes é aquele pelo qual um grupo de pessoas cria uma aliança amigável, que os obrigará a auxiliar um ao outro no alcance de um objetivo, por meio de um propósito definido. Esse tipo de aliança é conhecida como "MasterMind". O MasterMind consiste na associação de indivíduos cuidadosamente escolhidos, cada qual enriquecendo essa aliança com algum conhecimento, experiência, educação, plano ou ideia, especialmente habilitados para fazer com que o objetivo de cada um seja atingido, por meio de um propósito definido.

Os líderes mais bem-sucedidos, em todos os momentos da vida, buscam o auxílio desse tipo de influência do meio, feita especialmente para servi-los. Realizações fantásticas são impossíveis sem a cooperação amigável de outros. Para colocar a verdade de outra forma, pessoas bem-sucedidas devem controlar o seu ambiente, garantindo, assim, manter total controle contra a influência das forças negativas do meio.

P – A responsabilidade que as pessoas têm com seus parentes faz com que seja impossível para elas evitar a influência de um ambiente negativo?

R – Nenhum ser humano deve a outro ser humano qualquer grau de responsabilidade que possa roubar o seu privilégio de construir os seus hábitos de pensamento em um meio positivo. Por outro lado, cada ser humano tem o dever de remover do seu ambiente toda e qualquer influência que possa, remotamente, desenvolver hábitos de pensamentos negativos.

P – Essa não seria considerada uma filosofia de "sangue-frio"?

R – Somente os fortes sobrevivem. Ninguém consegue ser forte sem remover toda e qualquer influência negativa de si mesmo que possa de alguma maneira desenvolver hábitos de pensamentos negativos. Hábitos de pensamentos negativos resultam na perda do privilégio da autodeterminação, independentemente do que ou quem possa causar esses hábitos. Hábitos de pensamentos positivos podem ser controlados pelo indivíduo e devem ser feitos para servi-lo, na busca por seus propósitos e metas. Hábitos de pensamento negativo controlam o indivíduo e o privam do privilégio da autodeterminação.

P – Deduzo, baseado em tudo o que você disse, que todos aqueles que controlam as influências do meio pelo qual os seus hábitos de pensamento são construídos são mestres de seus destinos no planeta e que todos os outros são dominados por seus destinos terrenos. Estou fazendo essa afirmação de forma correta?

R – Perfeitamente.

P – O que estabelece os hábitos de pensamento de uma pessoa?

R – Todos os hábitos são estabelecidos devido a desejos ou motivos, inerentes ou adquiridos. Quais sejam os hábitos, são os resultados de alguma forma de desejo definido.

P – O que ocorre com o cérebro físico enquanto uma pessoa está formando hábitos de pensamento?

R – Os desejos são impulsos de energia organizados, chamados de pensamentos. Desejos que são mesclados com sentimentos e emoções magnetizam as células cerebrais nas quais eles estão armazenados e preparam essas células para que sejam assumidas e direcionadas pela Lei do Ritmo Hipnótico. Quando qualquer pensamento aparece no cérebro, ou é criado lá, e é misturado com os sentimentos puros da emoção do desejo, a Lei do Ritmo Hipnótico começa a agir e, de uma vez por todas, começa a traduzir isso no seu equivalente físico. Pensamentos dominantes, que por sua vez agem inicialmente pela Lei do Ritmo Hipnótico, são aqueles que estão mesclados com os desejos mais profundos e com os mais intensos sentimentos envolvidos. Hábitos de pensamento são estabelecidos pela repetição dos mesmos pensamentos.

P – Quais são os motivos ou desejos que mais impelem e inspiram a ação do pensamento?

R – Os dez motivos mais comuns, que mais inspiram pensamentos voltados para ações, são estes:

O desejo por sexo e amor;
O desejo por alimento;
O desejo por autoexpressão espiritual, mental e física;
O desejo pela perpetuação da vida após a morte;
O desejo por poder sobre outros;
O desejo por riquezas materiais;
O desejo por conhecimento;
O desejo de imitar outros;
O desejo de se sobressair sobre outros;
Os sete medos básicos.

Esses são os motivos principais que inspiram a maior parte de todas as ações humanas.

P – E os desejos negativos, tais como a ganância, a inveja, a avareza, o ciúme e o rancor? Esses sentimentos negativos não são expressados mais frequentemente do que qualquer um dos sentimentos positivos?

R – Todos os desejos negativos não são nada exceto frustrações de desejos positivos. Eles são inspirados por alguma forma de derrota, fracasso ou negligência por parte dos seres humanos em se adaptarem às leis da natureza de forma positiva.

P – Esse é um novo ponto de vista nessa questão dos pensamentos negativos. Se estou entendendo o que você disse, todos os pensamentos negativos são inspirados pela negligência ou fracasso de uma pessoa em se adaptar harmoniosamente às leis da natureza. Isso está correto?

R – Isso está corretíssimo. A natureza não tolerará quaisquer inatividades ou vácuos de qualquer tipo. Todo o espaço deve ser, e na verdade é, preenchido com alguma coisa.

Tudo nesta existência, tanto de natureza física como espiritual, deve ser e estar em constante movimento. O cérebro humano não é exceção a essa regra. Ele foi criado para receber, organizar, especializar-se e expressar o poder do pensamento. Quando um indivíduo não usa o cérebro para a expressão de pensamentos criativos e positivos, a natureza preenche o vácuo forçando-o a agir em cima de pensamentos negativos.

Não pode haver indolência ou inatividade no cérebro. Entenda esse princípio e você terá um novo e importante entendimento sobre as influências que o ambiente exerce nas vidas dos seres humanos.

Você entenderá melhor, também, como a Lei do Ritmo Hipnótico opera, sendo ela a lei que mantém tudo e todos em constante movimento, por meio de alguma forma de expressão, de princípios tanto negativos como positivos.

A natureza não está interessada nesse tipo de moral, ela não está interessada no certo ou no errado. Ela não está interessada na justiça ou na injustiça. O seu interesse é unicamente de forçar tudo a expressar a ação de acordo com a sua natureza.

P – Essa é uma interpretação muito reveladora da forma como a natureza se comporta. A quem devo solicitar corroboração das suas afirmações?

R – Aos homens de ciências, aos filósofos, a todos os pensadores deste mundo. Por último, às manifestações físicas da própria natureza.

A natureza não tem nada parecido com matéria morta. Cada átomo da matéria está em constante movimento. Toda energia movimenta-se contínua e constantemente. Não existem espaços vazios em lugar algum. O tempo e o espaço são literalmente manifestações do movimento, com tal grandeza de velocidade que não pode ser medida pelos seres humanos.

P – Por tudo que você está dizendo, uma pessoa é forçada a concluir que as fontes de conhecimento são chocantemente limitadas.

R – As fontes desenvolvidas de conhecimento são limitadas. Todo o cérebro de um adulto normal é um portal em potencial para todo o conhecimento que existe através dos universos. Todo o cérebro de um adulto normal tem dentro do seu mecanismo a possibilidade de se comunicar diretamente com a Inteligência Infinita, a fonte de onde provém todo o conhecimento que existiu, existe e existirá.

P – A sua afirmação me leva a crer que todos os seres humanos podem tornar-se aquilo que chamam de Deus. É isso que você quer dizer?

R – Por meio da lei da evolução, o cérebro humano está sendo aperfeiçoado para comunicar-se automaticamente com a Inteligência Infinita. A perfeição virá pelo desenvolvimento organizado do cérebro, por sua adaptação às leis da natureza. O tempo é o fator que trará a perfeição.

P – O que causa ciclos de eventos recorrentes, tais como epidemias de doenças, crises econômicas, guerras e ondas de crimes?

R – Todas as epidemias, nas quais um grande número de pessoas é afetado de maneira similar, são causadas pela Lei do Ritmo Hipnótico, por meio da qual a natureza consolidada, pensamentos de natureza similar, faz com que esses pensamentos sejam expressados por meio de uma ação em massa.

P – Então, a grande crise econômica foi colocada em ação devido ao grande número de pessoas que foram influenciadas a liberarem pensamentos de medo? Isso está correto?

R – Perfeitamente. Milhões de pessoas estavam agindo para conseguir alguma coisa em troca de nada, pela aposta no mercado financeiro. Quando elas de repente descobriram que tinham conseguido nada por alguma coisa, elas se aterrorizaram, correram para os seus bancos e retiraram os seus dinheiros. E o pânico estava instalado. Por causa do pensamento em massa de milhões de mentes, todas pensando em termos de medo da pobreza, a crise prolongou-se por alguns anos.

P – Pelo que você está dizendo, deduzo que a natureza consolida os pensamentos dominantes das pessoas e os expressa por meio de alguma forma de ação em massa, tais como crises econômicas, momentos de euforia nos negócios e assim por diante. Isso está correto?

R – Você está com a ideia certa.

P – Vamos agora para o próximo dos sete princípios. Vá em frente e o descreva.

R – O próximo princípio é o ***tempo***, a quarta dimensão.

P – Qual a relação que existe entre o tempo e o funcionamento da Lei do Ritmo Hipnótico?

R – O tempo é a Lei do Ritmo Hipnótico. O lapso de tempo necessário para dar permanência aos hábitos de pensamento depende principalmente do objeto e da natureza dos pensamentos.

P – Mas entendi, pelo que você disse antes, que a única coisa permanente na natureza é a mudança. Se isso é verdade, então o tempo está constantemente mudando, rearranjando-se e recombinando todas as coisas, incluindo os hábitos de pensamento das pessoas. Como então poderia a Lei do Ritmo Hipnótico dar permanência aos hábitos de pensamento de uma pessoa?

R – O tempo divide todos os hábitos de pensamento em duas classes: pensamentos negativos e pensamentos positivos. Os pensamentos de um indivíduo estão constantemente modificando-se e sendo recombinados para se adequarem aos desejos desse indivíduo, mas os pensamentos não mudam do positivo para o negativo, ou vice-versa, exceto pelo esforço voluntário por parte do indivíduo.

O tempo penaliza o indivíduo por todos os pensamentos negativos e o recompensa por todos os pensamentos positivos, de acordo com a natureza e o propósito dos pensamentos. Se os pensamentos dominantes de uma pessoa são negativos, o tempo penaliza o indivíduo construindo em sua mente o hábito do pensamento negativo, e então ele procede para solidificar esse hábito em um ato permanente, durante cada segundo de sua existência. Os pensamentos positivos são, da mesma forma, construídos pelo tempo e acabam tornando-se hábitos permanentes. O termo "permanência", é claro, refere-se à vida natural do indivíduo. Literalmente falando, nada é permanente.

O tempo converte hábitos de pensamento naquilo que pode ser chamado permanência durante a vida do indivíduo.

P – Agora tenho um entendimento melhor de como o tempo trabalha. Quais outras características tem o tempo em conexão com o destino dos seres humanos na Terra?

R – O tempo é o tempero que influencia a natureza, por meio do qual as experiências humanas podem ser amadurecidas em sabedoria. As pessoas não nascem com sabedoria, mas elas nascem com a capacidade de pensar e podem, pelo lapso do tempo, chegar à sabedoria pelos seus pensamentos.

P – Os jovens têm sabedoria?

R – Somente em assuntos elementares. A sabedoria vem somente com o tempo. Ela não pode ser herdada e não pode ser transferida de uma pessoa para outra, exceto pelo lapso do tempo.

P – O passar do tempo pode forçar um indivíduo a adquirir sabedoria?

R – Não! A sabedoria vem somente para os não alienados, que formam hábitos de pensamento positivos, como uma força dominante em suas vidas. Os alienados e todos aqueles cujos pensamentos dominantes são negativos nunca adquirem sabedoria, exceto de coisas elementares.

P – Pelo que você está dizendo, entendo que o tempo é amigo da pessoa que treina a sua mente a seguir padrões de pensamentos positivos, e inimigo da pessoa que se aliena em hábitos de pensamentos negativos. Isso está correto?

R – Isso é precisamente verdadeiro. Todas as pessoas podem ser classificadas como alienadas ou não alienadas. Alienadas estão sempre à mercê das não alienadas, e o tempo faz com que essa relação seja permanente.

P – Você quer dizer que, se eu me alienar ao longo da minha vida, sem propósito ou objetivo definido, o não alienado pode tornar-se meu mestre, e o tempo serve somente para dar ao não alienado uma vantagem mais forte e mais permanente sobre mim?

R – Corretamente.

P – O que é a sabedoria?

R – A sabedoria é a habilidade de relacionar-se com as leis da natureza, de tal forma que elas possam servir a você, e a habilidade de relacionar-se com outras pessoas, de tal forma que você possa ganhar a cooperação harmoniosa e consciente dessas pessoas, para ajudarem-no a conseguir qualquer coisa que queira da vida.

P – Então, conhecimento acumulado não é sabedoria?

R – Céus, não! Se conhecimento fosse sabedoria, as realizações da ciência não seriam convertidas em instrumentos de destruição.

P – O que é necessário para converter conhecimento em sabedoria?

R – Tempo mais o desejo por sabedoria. A sabedoria nunca pode ser imposta a uma pessoa. Ela é adquirida, se é que é adquirida, pelo pensamento positivo, por meio de um esforço voluntário e pessoal.

P – É seguro para todas as pessoas ter conhecimento?

R – Nunca é seguro para qualquer pessoa ter um conhecimento extensivo sem sabedoria.

P – Em que idade a maioria das pessoas começa a adquirir sabedoria?

R – A maioria das pessoas que adquire sabedoria o faz após ter passado a idade dos 40 anos. Antes desse período, a maioria das pessoas está muito ocupada angariando conhecimentos e os organizando em planos em vez de gastar o tempo no esforço em conseguir sabedoria.

P – Qual circunstância da vida é mais apta para levar uma pessoa a adquirir sabedoria?

R – Adversidade e fracasso. Essas são as linguagens universais de que a natureza se utiliza para transmitir sabedoria a todos aqueles que estão preparados para recebê-la.

P – A adversidade e o fracasso sempre trazem sabedoria?

R – Não, somente para aqueles que estão prontos para receber a sabedoria e voluntariamente procuraram por ela.

P – O que determina o quão pronta está uma pessoa para receber a sabedoria?

R – O tempo e a natureza dos hábitos de pensamento.

P – Conhecimento adquirido recentemente equivale a conhecimento já testado e comprovado?

R – Não. Conhecimento testado através do intervalo do tempo sempre é superior àquele que é recentemente adquirido. O tempo dá ao conhecimento a definição em termos de qualidade, quantidade e confiabilidade. Nunca se pode ter certeza de um conhecimento que não tenha sido testado.

P – O que é um conhecimento confiável?

R – É o conhecimento que se harmoniza com a lei natural, o que significa que é baseado em pensamentos positivos.

P – O tempo modifica e altera os valores do conhecimento?

R – Sim, o tempo modifica e altera todos os valores. Aquilo que é conhecimento apurado hoje pode tornar-se nulo e inválido amanhã, devido ao rearranjo do tempo, dos fatos e valores. O tempo modifica todos os relacionamentos humanos para melhor ou para pior, dependendo da forma pela qual as pessoas se relacionam umas com as outras.

No domínio dos pensamentos existe um momento que é próprio para semear as sementes destes, e existe um momento próprio para fazer a colheita deles, da mesma forma como existe o momento correto para plantar e para colher no solo da terra. Sem a medição adequada do tempo entre a semeadura e a colheita, a natureza modifica ou retém as recompensas da semeadura.

P – Vá em frente agora e descreva os dois últimos dos sete princípios.

R – O próximo princípio é a harmonia. Observando-se toda a natureza, pode-se encontrar provas de que toda a lei natural acontece de maneira ordenada, por meio da Lei da Harmonia. Por meio do funcionamento dessa lei, a natureza força tudo o que estiver dentro dos limites de determinado ambiente a relacionar-se de forma harmoniosa. Entenda essa verdade e você terá uma nova e intrigante visão da força do ambiente. Você entenderá por que a associação com mentes negativas é fatal para todos aqueles que estão em busca da autodeterminação.

P – Você quer dizer que a natureza voluntariamente força os seres humanos a se harmonizarem com as influências do seu meio?

R – Sim, isso é verdade. A Lei do Ritmo Hipnótico impõe à força sobre cada ser humano as influências dominantes do ambiente em que ele vive.

P – Se a natureza força os seres humanos a sofrerem a influência do ambiente em que eles vivem, que meios disponíveis existem para eles escaparem de um ambiente de fracasso e pobreza quando, na verdade, eles desejam fugir desse meio?

R – Eles devem mudar imediatamente desse ambiente ou permanecerão orientados e envoltos pela pobreza. A natureza não permite que ninguém escape das influências do seu ambiente.

Contudo, a natureza, em sua abundante sabedoria, dá a cada ser humano o privilégio de estabelecer o seu próprio ambiente mental, espiritual e físico. Entretanto, uma vez que ele tenha escolhido o seu ambiente, invariavelmente acabará se tornando parte dele. Esse é o funcionamento inexorável da lei da harmonia.

P – Em uma associação com fins comerciais, por exemplo, quem estabelece a influência dominante que determina o ritmo do ambiente?

R – O indivíduo ou os indivíduos que pensam e agem com definição de propósito.

P – É simples assim?

R – Sim, a definição de propósito é o ponto de partida pelo qual um indivíduo deve estabelecer o seu próprio ambiente.

P – Acho que não consegui acompanhar bem o seu raciocínio. O mundo inteiro está dividido pela guerra e pelas crises econômicas e ainda outras formas de crises e rixas que podem representar qualquer coisa, exceto harmonia. A natureza não parece estar forçando as pessoas a se harmonizarem uns com os outros. Como você explica essa inconsistência?

R – Não há inconsistência. As influências dominantes do mundo são, como você diz, negativas. Muito bem, a natureza está forçando os seres humanos a se harmonizarem com as influências dominantes do ambiente do mundo.

Manifestações de harmonia podem ser tanto positivas quanto negativas. Por exemplo, um grupo de homens em uma prisão pode – e eles geralmente o fazem – pensar e agir de maneira negativa, mas a natureza faz com que a influência dominante da televisão seja impressa em cada indivíduo que está presente nela. Um grupo de pessoas orientadas para a pobreza e que vivem em apartamentos pode lutar contra si mesmo e aparentemente resistir a todas as formas de harmonia, mas a natureza faz com que cada um torne-se uma parte da influência dominante da casa em que eles vivem.

Harmonia, da forma como o seu significado está sendo utilizado aqui, quer dizer que a natureza inter-relaciona todas as coisas que são similares através de todos os universos. As influências negativas são forçadas a associarem-se umas com as outras, não importando onde elas possam estar. As influências positivas são, tanto quanto as negativas, definitivamente forçadas a associarem-se umas com as outras.

P – Estou começando a entender por que líderes de negócios bem-sucedidos são tão cuidadosos na escolha de seus associados. Homens bem-sucedidos em quaisquer ramos geralmente estabelecem o seu próprio ambiente cercando-se de pessoas que pensam e agem em termos de sucesso. Essa é a ideia?

R – Essa é exatamente a ideia. Observe com atenção que a única coisa que os homens bem-sucedidos exigem é que a harmonia impere entre os seus associados. Outra característica de pessoas bem-sucedidas é que elas se movimentam com definição de propósito e insistem para que os seus associados façam o mesmo. Entenda essas duas verdades e você entenderá a diferença que existe entre um Henry Ford e um trabalhador comum.

P – Agora me fale sobre o último dos sete princípios.

R – O último princípio é a cautela. Próximo ao hábito de alienar-se, a característica humana mais perigosa é a falta de cautela.

As pessoas alienam-se em todos os tipos de circunstâncias danosas devido ao fato de que elas não exercem a cautela, planejando os movimentos que fazem. O alienado sempre se move com a ausência de cautela. Ele age primeiro e pensa depois, se é que ele pensa. Ele não escolhe seus amigos. Ele aliena-se e permite que pessoas se liguem a ele nos seus próprios termos. Ele não escolhe uma ocupação. Ele aliena-se na escola e fica satisfeito quando consegue o primeiro emprego que lhe garante apenas alimentação e agasalho. Ele convida as pessoas a enganá-lo nos negócios pelo fato de não se informar das regras do negócio. Ele convida a doença, negligenciando quanto a informar-se das regras para ter uma saúde perfeita. Ele convida a pobreza por negligenciar quanto a proteger-se contra as influências do ambiente daqueles que são orientados para a pobreza. Ele convida o fracasso em cada passo que ele dá ao negligenciar o exercício da cautela para observar o que faz com que as pessoas fracassem. Ele convida o medo, em todas as suas formas, pela sua falta de cautela em examinar as causas do medo. Ele fracassa no casamento porque ele negligencia quanto a usar a cautela na escolha de sua parceira, e ele usa ainda menos cautela nos seus métodos de relacionar-se com ela após o casamento. Ele perde os seus amigos ou os converte em inimigos, devido à sua falta de cautela em relacionar-se com eles de maneira adequada.

P – A cautela está faltando para todas as pessoas?

R – Não. Somente para aquelas pessoas que adquiriram o hábito da alienação. O não alienado sempre age com cautela. Ele cuidadosamente pensa em todos os passos dos seus planos antes de começá-los. Ele abre precedentes para as fragilidades humanas dos seus associados e planeja antecipadamente como resolvê-las.

Se ele enviar um mensageiro em uma missão importante, ele manda alguma outra pessoa para ter certeza de que o mensageiro cumpriu a sua missão. Então, ele verifica ambos para ter certeza de que os seus desejos foram cuidadosamente cumpridos. Ele cuida de todos os detalhes, mesmo daqueles que parecem sem importância, e utiliza a cautela como meio de garantir o seu sucesso.

P – A cautela excessiva não é tão prejudicial quanto a falta de cautela?

R – O que você chama de cautela excessiva, na verdade, é uma expressão do medo. Medo e cautela são duas coisas totalmente diferentes.

P – As pessoas não se enganam confundindo o medo por cautela excessiva?

R – Sim, isso algumas vezes acontece, mas a maioria das pessoas cria para si mesma muito mais desastres e situações danosas para suas vidas pela total falta do hábito da cautela do que pelo excesso desta.

P – Qual a forma mais vantajosa de se utilizar a cautela?

R – Na seleção dos associados e nos métodos de relacionar-se com estes. A razão para isso é óbvia. Os associados constituem a parte mais importante do ambiente de uma pessoa, e as influências do ambiente determinam se a pessoa forma o hábito de alienar-se ou se ela se torna um não alienado. A pessoa que exercita a cautela na escolha dos seus associados nunca se permite estar intimamente associada com qualquer pessoa que não traga para ela, por meio da associação, alguma forma definida de benefício mental, espiritual ou econômico.

P – Esse método de escolher associados não seria egoísta?

R – É um método sensível e que leva para a autodeterminação. É o desejo de qualquer pessoa normal encontrar sucesso material e felicidade. Nada contribui mais para o sucesso e a felicidade de uma pessoa do que a escolha cuidadosa de seus associados. A cautela na seleção dos associados torna-se, por isso, a missão de toda pessoa que queira tornar-se feliz e bem-sucedida. O alienado permite que seus associados mais próximos liguem-se a ele considerando os próprios termos deles. O não alienado cuidadosamente escolhe os seus associados e não permite que ninguém se torne intimamente associado a ele sem que contribua com alguma forma de influência útil ou benéfica.

P – Nunca ocorreu a mim que a cautela na seleção de amigos seria tão definitiva para o sucesso ou o fracasso de uma pessoa. Todas as pessoas bem-sucedidas agem com cautela na seleção de seus associados, seja na esfera comercial, social ou profissional de seus relacionamentos?

R – Sem o exercício da cautela na escolha de todos os seus associados, ninguém pode estar certo do sucesso, seja em qual área de atuação for. Por outro lado, a falta de cautela traz consigo algum tipo de derrota em qualquer área de atuação.

RESUMO

Existem três coisas interconectadas dentro da minha entrevista com o Diabo que mais me interessam. Esses três fatores me interessam porque foram as influências mais importantes da minha vida, um fato que qualquer leitor da minha história consegue facilmente discernir. Os três fatores mais importantes são: o hábito de alienar-se, a Lei do Ritmo Hipnótico, por meio da qual todos os hábitos acabam se tornando permanentes, e o elemento tempo.

Esse trio de forças invariavelmente está presente no destino de todos os homens, de forma inviolável. Essas três forças acabam tendo um novo e mais importante significado quando são estudadas e combinadas como uma força grupal. Não precisa ter muita imaginação nem muito conhecimento sobre as leis naturais para entender que a maior parte das dificuldades nas quais as pessoas se encontram são suas próprias criações. Além disso, as dificuldades raramente são o resultado de circunstâncias imediatas. Elas geralmente são o ápice de uma série de circunstâncias, as quais foram consolidadas pelo hábito da alienação, com a colaboração do tempo.

Samuel Insull não perdeu o seu império industrial de 4 bilhões de dólares como resultado da crise econômica. Ele começou a perder muito antes da crise, quando tornou-se vítima de um grupo de mulheres que o seduziram, tornando seus talentos de grande utilidade pública em uma grande ópera. Se em algum momento um homem na mais alta posição do mundo financeiro despencou devido ao poder da alienação, do ritmo hipnótico e do tempo, esse homem foi Samuel Insull. Estou escrevendo sobre o senhor Insull baseado em um conhecimento profundo sobre a sua pessoa e as causas dos seus problemas, os quais datam desde o tempo em que servi com ele durante a Primeira Guerra Mundial, até o momento da sua tentativa doentia de fugir de si mesmo.

Henry Ford passou pela mesma crise que arruinou o senhor Insull, mas Ford passou pela crise sem um arranhão e acabou no topo. Você quer saber a razão? Eu lhe contarei. Ford tem o hábito de não alienar-se em nenhum assunto. O tempo é um poderoso amigo de Ford, porque ele formou o hábito de usá-lo de forma construtiva e positiva, com a ajuda de pensamentos de sua própria criação, cercado por planos próprios.

Pegue qualquer circunstância que você deseje, meça com referência ao seu relacionamento com o hábito da alienação, do ritmo hipnótico e do tempo, e você certamente terá as causas mais apuradas de todo o fracasso ou de todo o sucesso.

Franklin D. Roosevelt assumiu seu gabinete com um estrondo durante o seu primeiro mandato. Mas ele tinha um propósito principal em mente, e esse propósito era bem definido. Seu objetivo era parar o estampido do medo e fazer com que as pessoas começassem a pensar e falar em termos de prosperidade nos negócios em vez de crise.

Ao trabalhar na busca de seu propósito, não havia alienação. As forças de toda a nação estavam consolidadas e moviam-se como uma só, ajudando o presidente a alcançar o seu propósito definido. Pela primeira vez na história da América, os jornais de todas as inclinações políticas, as igrejas de todas as denominações, as pessoas de todas as raças e cores e as organizações políticas de todos os partidos uniram-se formando uma força estupenda, com o único objetivo de ajudar o presidente a restaurar a fé e as relações comerciais no país.

Em uma conferência realizada entre o presidente e um grupo de conselheiros de emergências, poucos dias após ele assumir a presidência, eu perguntei a ele qual era o seu maior problema. Ele respondeu: “Não é uma questão de maior ou menor; nós temos apenas um problema, e esse problema é parar o medo e suplantá-lo com a fé”.

Antes do final do seu primeiro ano, o presidente havia vencido o medo e o suplantado pela fé. E a nação estava vagarosamente, mas no caminho certo, saindo de uma vez por todas da selva da crise. No final do seu primeiro mandato – marque bem o elemento tempo –, o presidente havia consolidado de forma tão efetiva as forças dos negócios americanos e da vida privada que ele tinha uma nação inteira o apoiando, pronta, desejosa e entusiasticamente apta a segui-lo, não importando o caminho que ele seguisse.

Esses são fatos bem conhecidos para todo mundo que tenha lido os jornais ou escutado rádio.

Então, veio outra eleição presidencial e a oportunidade para as pessoas expressarem sua fé no seu líder. Elas a expressaram com uma vitória sem precedentes na política americana, e o presidente assumiu o gabinete para um segundo mandato com uma votação quase unânime, perdendo somente em dois estados.

Agora, observe como a roda da vida começou a reverter-se e voltar--se para outra direção. O presidente mudou a sua política, baseada em definição de propósito, e entrou para a indefinição e para a alienação.

A sua mudança na política dividiu o poderoso partido trabalhista e fez com que mais da metade desse grupo ficasse contra ele. Ele dividiu o que antes era quase sólido em ambas as casas do Congresso, e, mais importante do que isso, ele dividiu o povo americano em dois grupos, prós e contras, e com um resultado final que o que sobrou daquele presidente foi somente o seu sorriso de um milhão de dólares e seu aperto de mão firme – obviamente, não o suficiente para fazê-lo reconquistar o poder que ele uma vez teve na vida americana.

Aqui, então, temos o excelente exemplo de um homem que foi aos céus com grande força, por meio da definição de propósito, e desmoronou para o ponto de partida pelo hábito da alienação. Tanto na subida quanto em sua queda, pôde-se ver claramente o funcionamento da alienação e da não alienação, alcançando um pico por meio do poder do ritmo hipnótico e do tempo.

Em toda a minha vida, o Diabo teve uma dramática história para contar sobre os seus negócios comigo. Ele viu eu me alienar e me desalienar em oportunidades de negócios que muitos teriam dado tudo o que tinham para ter. Ele viu eu me alienar na minha política de relacionamento com os outros, particularmente na minha falta de cautela nos negócios.

A circunstância que me salvou do controle fatal da Lei do Ritmo Hipnótico foi a definição de propósito com a qual, finalmente, dediquei toda a minha vida para a organização de uma filosofia de realização pessoal, orientada para o sucesso. Alienei-me em algum momento ou outro, em pequenas ações e decisões, mas a minha alienação foi anulada pelo meu propósito maior, que era o suficiente para restaurar a minha coragem e colocar-me no caminho da busca do conhecimento, em todas as pequenas derrotas.

Aprendi alguma coisa da natureza danosa do hábito da alienação enquanto estava engajado em analisar mais de 25 mil pessoas na conexão com a organização da lei do sucesso. Essas análises mostraram que somente duas de cada cem pessoas têm um objetivo definido na vida. As outras 98 foram pegas pelo hábito da alienação. Parece-me mais do que uma coincidência que minhas análises claramente corroboraram as afirmações do Diabo, de que ele controla 98 de cada cem pessoas, devido justamente ao hábito da alienação.

Olhando para o passado e analisando a minha própria carreira, posso ver claramente que eu poderia ter evitado a maioria das derrotas temporárias com as quais me deparei se eu tivesse naquele momento seguido um plano para obtenção do meu maior propósito na vida.

Da minha experiência de ter analisado os problemas de mais de cinco mil famílias, sei, definitivamente, que a maioria das pessoas casadas que se desarmonizam umas com as outras o fazem devido a acúmulo de um grande número de pequenas circunstâncias no casamento, as quais poderiam ter sido esclarecidas e contornadas no momento em que foram criadas, se houvesse uma política definida para fazê-lo. Elas não vivem a sua vida de casal com definição de propósito.

Assim a história é feita, desde o princípio dos tempos. O homem que tem o plano mais definido, com propósito e força, caminha para a vitória. Os outros correm para conseguir abrigo e acabam sob a liderança daqueles que são mais determinados.

A resposta não é difícil de encontrar, não há necessidade de olhar para o céu para encontrá-la. Da minha parte eu preferiria procurar a resposta no Diabo, porque ele me contaria rapidamente que a vitória vai para as pessoas que sabem o que querem e que estão determinadas a consegui-lo. Elas dominaram o hábito da alienação. Elas têm políticas definidas, planos definidos e objetivos definidos. A sua oposição, que muitas vezes está em número maior, não tem chance alguma contra elas, porque a oposição não tem um plano, nenhum propósito e também não tem uma política, exceto a de alienar-se, esperando que alguma coisa possa vir de algum lugar para ajudá-las. Naquelas três breves frases, você tem todas as informações necessárias para distinguir com clareza a diferença entre o sucesso e o fracasso, a força e a falta dela.

Chegamos agora perto do fim de nossa visita por meio deste livro. Se fôssemos tentar colocar em apenas uma frase a coisa mais importante que eu tentei expressar neste livro, seria algo do tipo:

"Os desejos dominantes podem ser cristalizados nos seus equivalentes físicos, por meio da definição de propósito, amparada por planos definidos, com a cooperação da lei natural do ritmo hipnótico e do tempo".

Aí você tem a fase positiva da filosofia de realização pessoal que eu tentei descrever neste livro, com o máximo de brevidade e simplicidade. Se você expandir a filosofia com o propósito de adaptá-la às circunstâncias da vida, verá que ela é tão grande quanto a vida em si mesma, que ela cobre todos os relacionamentos humanos, todos os pensamentos humanos, objetivos e também desejos.

Então, aqui estamos, no final da mais estranha de todos os milhares de entrevistas que fiz com as maiores personalidades, por um período de mais de cinquenta anos de trabalho, na minha procura pelas verdades da vida, que levam à felicidade e à segurança econômica.

É estranho, no entanto, que, após ter tido a cooperação ativa de homens como Carnegie, Edison e Ford, eu tenha sido compelido finalmente a ir até o Diabo para encontrar um conhecimento prático do maior de todos os princípios revelados na minha procura pela verdade. Como é estranho que eu tenha sido forçado a experimentar a pobreza, o fracasso e a adversidade, em centenas de formas, antes de ter tido o privilégio de entender e utilizar a lei da natureza que neutraliza essas armas e as elimina de nosso caminho. Mas o mais estranho de toda esta dramática experiência que a vida me proporcionou é a simplicidade da lei pela qual, se eu a tivesse entendido, poderia ter transmutado meus desejos de forma substancial, sem ter de me submeter tantos anos a períodos de miséria e dureza.

Eu enxergo agora, no final da minha entrevista com o Diabo, que eu estava carregando em meus próprios bolsos os fósforos com os quais o fogo da adversidade estava me queimando. E vejo também que a água com a qual esse fogo poderia ter sido extinguido estava em grande abundância, sempre disponível, esperando pelo meu comando.

Procurei pela pedra filosofal com a qual o fracasso pode ser convertido em sucesso somente para aprender que tanto o sucesso quanto o fracasso são resultados das forças evolucionárias do nosso dia a dia, por meio dos quais os pensamentos dominantes são costurados ponto a ponto e transformados nas coisas que queremos, ou nas coisas que não queremos, de acordo com a natureza desses pensamentos.

Infelizmente, eu não entendia essa verdade no momento em que alcancei a idade da razão, porque, se a tivesse entendido, teria sido capaz de desviar dos obstáculos que fui forçado a pular enquanto caminhava no "vale da sombra" da vida.

A história da minha entrevista com o Diabo agora está em suas mãos. Os benefícios que você receberá dela serão da exata proporção do pensamento que ela inspira em você. Para beneficiar-se da leitura desta entrevista, você precisa concordar com cada porção dela.

Você somente tem que pensar e chegar às próprias conclusões em relação a cada parte desta entrevista. O quão razoável ela é. Você é o juiz, o jurado e o advogado, tanto da defesa quanto da acusação. Se você não vencer o seu caso, a perda e a causa da perda serão somente suas.

EPÍLOGO

Uma noite, um velho índio cherokee contou ao seu neto sobre uma luta que estava acontecendo dentro dele. Ele disse: "Meu filho, esta luta é entre dois lobos. Um é mau: raiva, inveja, ganância, medo, arrogância, desespero, autopiedade, mentira, sentimento de inferioridade, culpa, orgulho e ego. O outro é bom: alegria, coragem, paz, autodeterminação, serenidade, humildade, bondade, empatia, verdade, compaixão e fé". O neto, ouvindo tudo atentamente, então perguntou ao avô: "Qual dos lobos vence?". O velho cherokee respondeu simplesmente: "Aquele que eu alimento".

Muito já se escreveu sobre a batalha entre o bem e o mal. Mas, mesmo com toda a tecnologia que hoje nos rodeia, permanecemos basicamente com os mesmos questionamentos do passado: quem somos? De onde viemos? O que estamos fazendo aqui? Para onde vamos?

Perguntas simples, mas que, mesmo se colocássemos todos os maiores computadores do mundo lado a lado, não conseguiríamos decifrar. Procuramos incessantemente, quase diariamente, por respostas. Na verdade, internamente somos peritos em grandes questionamentos, e na maior parte das vezes buscamos as soluções externamente, seja nas religiões, nas filosofias de vida, seja nos cultos dos mais variados tipos.

Napoleon Hill decidiu buscar respostas com ninguém menos do que o próprio Diabo. Figura mitológica para alguns, fonte de medo e desespero para outros. O fato é que o Sr. Hill conseguiu colocar em forma de entrevista aquilo que muitos de nós questionamos há muito tempo.

Independentemente da religião, culto ou filosofia de que possamos fazer parte, o Diabo mexe com nossa imaginação e nos faz parar e refletir sobre a sua real natureza. O Diabo efetivamente existe? Quem o alimenta?

Não seria, por acaso, nosso ego, que busca incessantemente pela nossa valorização momentânea em detrimento do verdadeiro ganho da virtude?

Conforme aprendemos com o Dr. Hill, a alienação hoje ocorre não somente com os meios que foram descritos no livro, que por sua vez data de 1938, mas também com novos e poderosos instrumentos que o Diabo utiliza para alcançar os seus objetivos: as drogas, a internet, os *videogames*, os aplicativos de celulares e tudo o que a tecnologia trouxe de informação e comodidade ao alcance fácil de nossos dedos. Outrossim, nunca estivemos tão afastados de nós mesmos digerindo nossa mais nova ingestão tecnológica. Com relação às pessoas, então, conhecemos profundamente o perfil dos nossos principais amigos nas redes sociais, mas participamos cada vez menos do que se passa de verdade no coração e na mente desses amigos e amigas. Pode existir maior alienação do que esta? Nos afogamos em meio à modernização, e parece que o bote salva-vidas está longe, cada vez mais longe de nosso alcance.

Caminhamos hoje com muita pressa e utilizamos a mais alta tecnologia para saber de coisas que, no passado, saberíamos meses depois, quem sabe anos...

Mas ainda temos junto de nós o mapa que pode nos colocar no verdadeiro caminho da autorrealização, e esse mapa encontra-se no lugar menos procurado hoje em dia: nossa mente e nosso coração.

Qual foi a maior armadilha que o Diabo criou para o homem? Foi, sem dúvida, plantar na sua mente a incerteza de sua existência. Assim como o fracasso e o sucesso devem ser considerados armadilhas mentais, pois ambos provêm dos pensamentos dominantes que acabam se tornando aquilo que mais desejamos.

Analisando-se a Lei do Ritmo Hipnótico, que também pode ser considerada como Lei da Inércia da Vida, temos que os nossos pensamentos dominantes acabam por se tornar equivalentes físicos no nosso cotidiano. Ou seja, se cultivarmos a mente encoberta pelo medo, pela culpa e pela dúvida, acabamos tendo atitudes relacionadas a esses sentimentos, e não precisamos ser *experts* para saber que tipo de resultados alcançaremos.

Ao passo que, se cultivarmos a mente preenchida com pensamentos de fé, coragem, gratidão e alegria, com certeza chegaremos aos resultados a que aspiramos.

O desafio é como conseguir isso... Parece fácil manter a mente positiva, mas o dia a dia nos mostra o quanto de nossa atenção permanece focada em coisas que na verdade não correspondem à estratégia principal do nosso sonho.

Os problemas que aparecem em nossas vidas tomam boa parte de nosso tempo, e acabam por fazer com que desviemos nossa atenção para aquém de nossa meta principal. Aprendemos que devemos planejar, planejar e, quando estiver tudo planejado, devemos planejar mais ainda. Entretanto, isso nos leva à concretização de nossas metas? Ou seria mais inteligente estabelecermos um objetivo principal e aproveitarmos todas as oportunidades que aparecem em nosso caminho?

Já dizia Zoroastro: "Conhece-te a ti mesmo e conhecerás a Deus e a todo o universo". O verdadeiro sentido da vida, que vem sendo buscado pelos maçons, rosa-cruzes, *illuminati* e demais ordens e religiões de todo o universo, certamente não está impresso em nenhum livro, mas aqueles que tiverem a coragem de vencer os seus medos e se arriscarem na aventura da busca pessoal provavelmente encontrarão a verdade. E ela, por certo, estará mais perto do que jamais imaginaram. Seja qual for o mapa utilizado para encontrar o caminho, a Bíblia, a Torá, o Alcorão, os Vedas, ou todos os demais livros sagrados das religiões, não podemos esquecer nunca que eles são somente o mapa e não o território, e que a mensagem é muito mais importante que o fato histórico. A mensagem contém em si mesma a sua própria verdade. Entretanto, ela somente passa a ter real existência se for praticada e se servir para fazer com que todos os homens e mulheres deste mundo possam viver o pleno sucesso. Que, por sua vez, não se trata de acumulação de riquezas materiais, mas sim do tributo à alegria, à simplicidade e à tão desejada paz de espírito.

Este livro foi um presente deixado pelo Dr. Napoleon Hill ao mundo. Ficou 73 anos escondido, por motivos não tão bem esclarecidos, mas o fato é que a mensagem é viva e cabe a cada um de nós interpretar baseado em nossas próprias experiências de vida. Quando perguntaram a Napoleon Hill se a entrevista havia sido efetivamente feita com a presença do Diabo, ele respondeu: "Após a leitura do livro, cabe a cada um tirar as próprias conclusões. Mais ouro já foi extraído dos pensamentos dos homens e mulheres deste mundo do que em todas as minas existentes em todos os tempos no planeta Terra".

Faça a sua parte! Faça deste livro seu livro de cabeceira e dê um exemplar de presente àquela pessoa que você mais estima.

Que assim seja!

Sincera e fraternalmente,

M. CONTE JR.

O manuscrito original - As leis do triunfo e do sucesso de Napoleon Hill ensina o que fazer para ser bem-sucedido na vida. Sucesso é mais do que acumular dinheiro e exige mais do que uma mera vontade de chegar lá. Napoleon Hill explica didaticamente como pensar e agir de modo positivo e eficiente e como conseguir a ajuda dos outros para a realização de objetivos.

Quem pensa enriquece – O legado é o clássico *best-seller* sobre o sucesso agora anotado e acrescido de exemplos modernos, comprovando que a filosofia da realização pessoal de Napoleon Hill permanece atual e ainda orienta aqueles que são bem-sucedidos. Um livro que vai mudar não só o que você pensa, mas também o modo como você pensa.

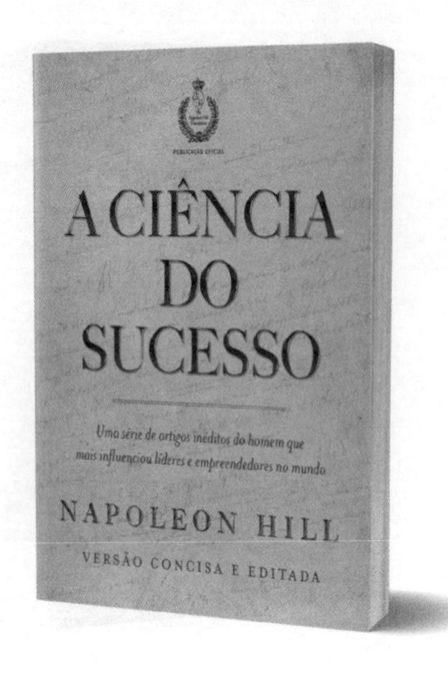

Uma série de artigos inéditos do homem que mais influenciou líderes e empreendedores no mundo. Esses ensaios, que contêm ensinamentos sobre a natureza da prosperidade e como alcançá-la e oferecem *insights* sobre a popularidade e o estilo envolvente do autor como orador e escritor motivacional, são publicados aqui em forma de livro pela primeira vez.

Sua mente é um talismã secreto. De um lado é dominado pelas letras AMP (Atitude Mental Positiva) e, por outro, pelas letras AMN (Atitude Mental Negativa). Uma atitude positiva irá, naturalmente, atrair sucesso e prosperidade. A atitude negativa vai roubá-lo de tudo que torna a vida digna de ser vivida. Seu sucesso, saúde, felicidade e riqueza, dependem de qual lado você irá usar.

A escada para o triunfo é um excelente resumo dos dezessete pilares da Lei do Triunfo, elaborada pelo pioneiro da literatura de desenvolvimento pessoal.
É um fertilizador de mentes, que fará com que a sua mente funcione como um imã para ideias brilhantes.

Quem aprende enriquece é uma série de lições sobre o sucesso escrita por Napoleon Hill, as quais são consideradas por muitas pessoas como os princípios mais importantes de Hill e Carnegie. Essas lições podem ser usadas por qualquer indivíduo para obter poder pessoal. À medida que esses arquivos da Fundação Napoleon Hill forem lidas e, acima de tudo, aplicadas, você começará sua jornada rumo ao sucesso. Comece agora!

"Capitão da minha alma, senhor do meu destino" é a compilação de três livretos de uma série chamada "Mental Dynamite", cujos originais haviam se perdido e foram redescobertos há pouco pela Fundação Napoleon Hill. Trata-se de uma verdadeira dinamite mental, combinando ensinamentos transmitidos pelo magnata do aço Andrew Carnegie ao jovem Napoleon Hill em 1908 com comentários do autor redigidos três décadas depois, quando já era um especialista em filosofia motivacional.

CITADEL
Grupo Editorial

THE NAPOLEON HILL FOUNDATION

What the mind can conceive and believe, the mind can achieve